CES EXPÉRIENCES
QUI NOUS
TRANSFORMENT

Données de catalogage avant publication (Canada)

Vedette principale au titre:

Ces expériences qui nous transforment

ISBN 2-89436-116-5 (v. 4)

1. Réalisation de soi - Anecdotes. 2. Amour - Anecdotes. 3. Foi - Anecdotes. 4. Courage - Anecdotes. 5. Espérance - Anecdotes. 6. Mort - Anecdotes. I. Fournier, Diane, 1949-   .

BF637.S4C43 2000   158.1   C00-940339-6

Nous reconnaissons l'aide financière du Gouvernement du Canada par l'entremise du programme d'aide au développement de l'édition (PADIÉ) pour nos activités d'édition.

Nous remercions la Société de Développement des Entreprises Culturelles du Québec (SODEC) pour son appui à notre programme de publication.

Infographie :
Caron & Gosselin

Mise en pages :
Composition Monika, Québec

Éditeur :
Éditions Le Dauphin Blanc
C.P. 55, Loretteville, Qc, G2B 3W6
Tél. : (418) 845-4045 – Fax (418) 845-1933
E-mail : dauphin@mediom.qc.ca

ISBN 2-89436-116-5

Dépôt légal :
2e trimestre 2004
Bibliothèque nationale du Québec
Bibliothèque nationale du Canada

Diane Fournier

CES EXPÉRIENCES QUI NOUS TRANSFORMENT

Volume 4

Préface de Anne Létourneau

Postface de Jean-Guy Moreau

Le Dauphin Blanc

TABLE DES MATIÈRES

7

MERCI DU FOND DU CŒUR...

À tous ceux et celles qui m'ont livré un témoignage inspirant et n'ont pas hésité à m'ouvrir leur cœur et leur âme avec beaucoup de transparence.

À Gordon, l'amour de ma vie, qui m'accompagne et me soutient au quotidien.

À Shelly-Ann, mon rayon de jeunesse, qui me pousse sans cesse vers de nouvelles expériences.

À Frédérick et sa conjointe Josée, qui m'offrent l'immense bonheur d'être bientôt grand-mère pour la toute première fois.

À Alain Williamson, mon éditeur, qui continue de me faire confiance.

À Lise Deslandes et Hélène Boutin, mes correctrices dévouées, qui contribuent une fois de plus à rehausser la qualité de mes écrits.

À Anne Létourneau, femme merveilleusement authentique, qui m'a spontanément offert de rédiger la préface du présent volume.

À Jean-Guy Moreau, homme profondément humain, qui a accepté avec enthousiasme d'écrire le commentaire de la fin.

À l'honorable Lise Thibault, lieutenant-gouverneur du Québec, dont l'attitude chaleureuse et réceptive m'a beaucoup impressionnée.

À tous les nombreux lecteurs et lectrices de toutes les régions du Québec, du Nouveau-Brunswick et même d'Europe qui ne cessent de m'encourager à poursuivre mon travail d'écriture par leurs commentaires toujours très positifs et stimulants.

Merci encore... et encore...

Diane Fournier

Madame Lise Thibault, lieutenant-gouverneur du Québec, et madame Diane Fournier, auteure de la série « Ces expériences qui nous transforment... »

Le 3 mars 2003

Merci !

Ce lundi matin, le mois de mars s'introduit dans notre quotidien en agitant ironiquement la petite phrase « Le trois fait le mois ». Si cette maxime s'avérait exacte et qu'elle installait une telle froidure pour encore de longs jours, nous aurions plus que jamais besoin de lire les témoignages recueillis dans votre livre « Ces expériences qui nous transforment » pour nous réchauffer et nous permettre de croire qu'à un moment ou l'autre de sa vie, le printemps finit bien par arriver !

Je vous félicite pour ce recueil gorgé d'espérance et de joie. Je suis assurée de son potentiel de réconfort !

Je vous souhaite bonne continuation auprès de tous ceux et celles qui vous ouvrent leur cœur et vous témoignent de leur credo à la vie. Je garde, en guise de souvenirs, notre rencontre à la Maison Gilles Kègle. Salutations cordiales,

Lise Thibault
Lieutenant-gouverneur du Québec

À madame Diane Fournier, auteure
« Ces expériences qui nous transforment »

PRÉFACE

*L*a Terre est un vaste champ d'expériences. Nous avons le privilège d'y séjourner afin d'accéder à une multitude de défis, d'opportunités et d'initiations. Nos choix en tant qu'êtres humains définissent ce que nous sommes. Parfois, les forces du destin se mettent en branle pour éveiller notre conscience et nous rencontrons alors «ces expériences qui nous transforment». Elles peuvent être douloureuses, exigeantes, déstabilisantes, mais sont toujours révélatrices.

Ce livre rempli d'émotions relate des histoires inspirantes empreintes de profondes vérités. C'est en regardant vivre les autres, en nous identifiant à leurs épreuves, leurs combats et leurs triomphes que nous pouvons évaluer notre propre cheminement et réconcilier nos zones d'ombre et de lumière. Les protagonistes impliqués dans les récits qui vont suivre ont dévoilé avec courage leur propre fragilité. Les difficultés rencontrées les ont menés vers un nouvel épanouissement.

Ce livre est important pour l'ouverture du cœur et de l'esprit et je remercie l'auteure, Diane Fournier, d'y avoir contribué avec autant d'élégance et d'authenticité. Sa grande capacité d'écoute a favorisé le recueil de ces confidences intimes qui sauront ravir et inspirer le lecteur.

15

Dans le tourbillon de la vie, il est parfois profitable de prendre un moment pour soi, pour visiter à nouveau son jardin secret et réévaluer ses croyances et ses priorités. Les histoires dévoilées dans cet ouvrage nous parlent de métamorphoses, de transcendances et de révélations. Elles ouvrent des portes vers la connaissance de notre moi profond, empreint de deux vérités fondamentales, la gratitude et le pardon, qui sont deux éléments cruciaux à l'épanouissement de la personnalité. La gratitude permet d'honorer ce que l'on a plutôt que de souffrir de ce que l'on n'a pas. Le pardon possède en lui la splendide habitude de faire fondre les remords et les regrets.

J'ai la profonde conviction que nous sommes venus au monde pour une seule et même raison : faire l'expérience de l'Amour. Ce livre qui rayonne la compassion est un bel exemple de loyauté envers cette force de vie qui nous habite tous. Pendant ce doux moment de lecture nous partagerons tous une même expérience, page après page, et en serons, je l'espère, agréablement transformés.

Je vous souhaite d'y trouver plaisir et sérénité.

Anne Létourneau
Comédienne et animatrice

AVANT-PROPOS

*R*écolter de nouveaux récits de vie pour ce quatrième volume, *Ces expériences qui nous transforment*, m'a procuré une fois de plus des moments fantastiques où l'exaltation était au rendez-vous, à chacune des rencontres.

Le *Volume 3* venait à peine d'être publié que je commençais avec enthousiasme une nouvelle cueillette d'histoires qui allait s'étendre, cette fois, sur dix-huit mois. J'étais émerveillée et émue de constater que la magie opérait à nouveau et que les gens se confiaient toujours aussi intimement à moi.

En premier lieu, j'eus le bonheur d'interviewer **Anne Létourneau**, comédienne, animatrice et auteure. Son autobiographie venait tout juste d'être publiée, une brique de près de cinq cents pages que j'ai dévorée avec plaisir et dans laquelle elle livre très honnêtement son cheminement de la boulimie à la spiritualité. Je croyais qu'elle avait tout dit dans ce volume, mais elle piqua ma curiosité en me promettant une histoire inédite. Elle me raconta une guérison spontanée survenue lors d'un séjour à l'Institut Hippocrate, en Floride, expérience tout à fait marquante pour elle et qui ne manqua pas de m'impressionner. Dans un bel élan de générosité, Anne m'offrit d'écrire la préface du présent volume et je lui en suis reconnaissante.

D'autres auteurs et conférenciers talentueux comme **Lise Bourbeau, Michel Dufour, Renée Frappier, Robert L. Gagné, Dolores Lamarre, Michèle Morgan, Isabelle Nazare-Aga et Fletcher Peacock** me racontèrent, avec une grande ouverture de cœur, les belles leçons que la vie leur avait apprises.

De passage dans la ville de Québec, l'animateur **Luc Senay** m'invita à prendre un repas délicieux en sa compagnie, au cours duquel il me décrivit l'influence très positive que son mentor, le regretté Robert Gravel, avait eu sur sa transformation intérieure.

La comédienne **Nathalie Coupal** m'ouvrit toute grande la porte de sa demeure et me confia le profond chagrin éprouvé lors d'une fausse couche et le fantastique bond évolutif que ce drame lui avait permis de faire par la suite. Je me sentis choyée lorsqu'elle me présenta à l'un des plus beaux hommes du Québec, le comédien Yves Soutières arrivé à l'improviste. Au moment de nous quitter, cette femme au cœur d'or m'offrit un superbe masque mural, illustrant la dualité de l'être, qui occupe une place de choix dans mon intérieur, tout comme elle-même occupe une place particulière dans mon cœur.

Je découvris ensuite une artiste très dynamique qui stimula mon goût de l'aventure. **Sylvie Legault** me reçut chez elle pour me raconter tout ce que sa participation au Rallye Aïcha des Gazelles du désert avait apporté de positif dans sa vie.

Le populaire animateur de l'émission *Surprise Sur Prise* bien connu pour son sens de l'humour, **Marcel Béliveau**, rencontré sur un plateau de tournage, me démontra une autre facette de sa personnalité. Il accepta de bonne grâce de me parler de sa vision de la vie depuis qu'il avait survécu à deux crises cardiaques suivies de deux cancers.

Je me prélassais sur une plage du Lac Beauport lorsque je rencontrai inopinément **Yves La Roche**, athlète dont je connaissais la renommée internationale. La conversation s'engagea amicalement et un rendez-vous fut pris afin que celui-ci me décrive son cheminement au sortir d'un coma de quatre-vingt-dix jours, survenu à la suite d'un grave accident de parapente.

Ma joie fut à son comble lorsque **Lise Watier**, cette femme d'affaires extraordinaire que j'admirais depuis des années, me donna l'autorisation de publier un récit émouvant démontrant sa grande foi dans les miracles, fait à partir d'une entrevue avec Michel Jasmin.

Peu après, je fis la connaissance de **Yolande Vigeant**, journaliste à la retraite, qui travaille maintenant comme intervenante auprès d'alcooliques et toxicomanes. Subjuguée dès le départ par sa joie de vivre et son rayonnement, je fus très étonnée d'entendre son histoire. Blessée au plus profond de son âme après un parcours de vie excessivement difficile, abusée sexuellement pendant son enfance, dépendante affective, Yolande a d'abord trouvé sa planche de salut dans l'alcool et les plaisirs superficiels. Mais un beau jour, au bout du rouleau, elle a dû admettre son impuissance face à son alcoolisme et a cherché et trouvé l'aide dont elle avait besoin pour sortir de l'enfer qu'était devenue sa vie. Cette femme courageuse a accepté de partager sans fausse pudeur les hauts et les bas de sa vie tumultueuse, afin d'aider d'autres personnes aux prises avec de telles difficultés.

Monica Péloquin, chroniqueuse pour L'Émeraude *plus*, fut aussi conquise par mon projet et elle me reçut en toute simplicité dans son cocon douillet. Elle me raconta comment elle avait surmonté l'épreuve terrible d'un viol, survenu alors qu'elle était au début de la vingtaine, pour en arriver à pardonner à son agresseur et retrouver la paix intérieure.

Ce fut ensuite la comédienne **Linda Roy** qui m'accueillit chaleureusement dans sa demeure pour me relater son expérience d'accompagnement auprès de malades en phase terminale. J'ai compris par la suite que cette rencontre ne relevait pas du hasard. En effet, je venais à peine de terminer cette magnifique histoire, intitulée «Tous égaux devant la mort», que je me retrouvai moi-même confrontée à la mort. Le père de mon époux, que j'aimais comme mon propre père, décéda subitement. Puis ce fut au tour de ma mère de quitter le plan terrestre deux semaines plus tard. Le témoignage positif de Linda m'habitait en profondeur et la leçon de vie qu'il contenait me soutint tout au long des funérailles et m'aida à traverser sereinement ces deux épreuves. Je réalisais concrètement que nous sommes effectivement égaux face à la mort et que tout ce qui compte, ce qui nous unit, ce qui demeure à la suite du départ d'un être cher, c'est l'amour... car l'amour, lui, ne meurt jamais !

Lorsque je rencontrai **Gilles Kègle** pour la première fois, à la Maison des Missionnaires de la Paix dont il est le fondateur, il m'apparut sous les traits d'un saint homme, en regard de l'ampleur de l'œuvre humanitaire qu'il accomplit quotidiennement auprès des démunis. Le récit émouvant des nombreuses épreuves personnelles qu'il a traversées, et qui ont failli le pousser au suicide à deux reprises, démontre bien la grandeur de cet être exceptionnel.

L'abbé **Jean-Marie Brochu**, dont le regard rempli de bonté m'a profondément touchée dès le premier instant, est aussi un homme exceptionnel qui ne cesse de se dévouer pour l'humanité souffrante. Le Noël du Bonheur, œuvre qu'il a fondée il y a plus de quarante ans, contribue encore aujourd'hui à offrir du bonheur quotidien aux malades en institution.

J'eus l'occasion de parler au téléphone à quelques reprises avec le comédien **Jean-Marie Lapointe** avant de le rencontrer en entrevue à la maison L'Éclaircie, maison de transition pour anorexiques, boulimiques et leurs proches dont il est le porte-parole. Le temps fila à la vitesse de l'éclair en compagnie de cet homme profondément humain et engagé socialement, tandis qu'il me racontait avec beaucoup d'émotion son cheminement évolutif aux côtés de Timothée-Gabriel, un jeune garçon atteint de cancer qu'il a accompagné jusqu'à la fin.

Un autre grand personnage que j'eus le plaisir d'interviewer pour compléter ce quatrième tome fut l'humoriste et animateur bien connu du public, **Jean-Guy Moreau**. Sa fascination pour les enfants, qu'il perçoit comme notre société en devenir, ainsi que son accueil simple et chaleureux ont fait que je me suis tout de suite sentie à l'aise en sa compagnie. Il n'est donc pas étonnant qu'au cours de l'entrevue l'idée me vint de lui proposer de conclure le livre avec une postface de son cru. Proposition qu'il accepta d'emblée.

Je fus présentée au lieutenant-gouverneur du Québec, **l'honorable Lise Thibault**, lors d'une visite officielle qu'elle fit à la Maison Gilles Kègle, et j'en profitai pour lui remettre un exemplaire du *Volume 3*. Son attitude très humaine et sa facilité d'approche m'incitèrent à lui demander de témoigner dans mon prochain livre. Malgré l'intérêt qu'elle me manifesta ce jour-là et la magnifique lettre de félicitations qu'elle m'adressa après avoir parcouru mon troisième livre, je ne pus m'empêcher de douter que cette rencontre se concrétise un jour. Six mois plus tard, lorsque je reçus le téléphone de son adjointe pour me fixer un rendez-vous en privé, je fus extrêmement heureuse. Lors de notre entretien, madame Thibault me confia d'ailleurs qu'elle n'accordait plus d'entrevue individuelle, étant donné son agenda excessivement chargé. Je suis consciente du grand privilège qui me fut donné de rencontrer ainsi un chef d'État en privé et d'échanger tout naturellement sur ses valeurs en tant qu'être humain.

Tous ces merveilleux entretiens n'ont cessé d'alimenter mes réflexions par la suite. Je demeure persuadée que le fait de raconter une expérience vécue avec la leçon que nous y avons apprise constitue un enseignement puissant, imagé et très évocateur, sans contredit le plus beau cadeau que nous puissions offrir aux autres.

La Vie est le plus grand des Maîtres et nous pouvons bénéficier de son enseignement pourvu que nous soyons ouverts à apprendre d'elle. Certains d'entre nous ont besoin d'épreuves pour comprendre ses messages, tandis que pour d'autres, les prises de conscience se font tout simplement dans l'amour et le partage. Tous ces récits de vie démontrent bien qu'il revient à chacun de choisir son propre chemin d'évolution, car l'apprentissage est tout aussi valable dans l'amour et la joie que dans les difficultés et la peine.

Chers amis lecteurs et lectrices, je vous offre aujourd'hui ces touchants témoignages de vie en espérant qu'ils vous procurent des pistes intéressantes vous permettant de poursuivre votre cheminement dans l'amour et le bonheur.

Avec toute ma tendresse,

Diane Fournier

1

DES TÉMOIGNAGES
D'AMOUR

Aimer doit nous être aussi naturel que vivre ou respirer, jour après jour, jusqu'à notre mort.

Mère Teresa

L'AMOUR ME MARIE À TOI

*C*omme le dit la chanson : « *L'amour m'est venu au cœur et au corps... l'amour est venu fleurir mon décor...* », eh oui, l'amour existe. Il est entré dans ma vie du bout des lèvres, un effleurement d'elles a suffi : 8,5 à l'échelle du cœur !

On a tendance à penser que l'amour qui se vit à long terme est de plus en plus rare de nos jours. Voici donc quelques lignes pour vous inspirer à le créer ou à le recréer, car il n'en tient qu'à notre vigilance et à notre fantaisie pour y arriver.

Depuis plus de dix ans maintenant que nous nous aimons et, certains matins, je suis encore très émue de le retrouver près de moi. Nous nous sommes apprivoisés tout doucement. Le fil conducteur qui devait me mener au grand amour me fut transmis par une patineuse professionnelle durant les festivités du 350ᵉ anniversaire de la ville de Montréal. Ses mouvements si gracieux me donnèrent envie de suivre le cours de patinage artistique qu'elle offrait. Je trouvais que le patin sur glace, un 24 juin, relevait de l'exotisme. Je convainquis ma fille de m'accompagner, mais elle se désista au dernier moment. Qu'à cela ne tienne, j'étais déterminée à poursuivre mon projet et j'amenai ma voisine avec moi.

Je voulais y acquérir du style, j'y ai trouvé l'amour de ma vie.

Je l'ai remarqué dès le premier cours. Nous nous sommes présentés. Il possédait mes livres, car il cuisinait « santé » depuis un bon moment et, de plus, il connaissait bien mon frère, étant tous deux producteurs de cinéma depuis trente ans... déjà nous avions des affinités. Nous n'étions pas dans le même groupe, car il suivait des cours avancés. Je remarquai son style et la grâce de ses mouvements, de même que la noblesse de ses traits et ses beaux cheveux gris attachés sur la nuque. Nous patinions ensemble après chaque cours. C'est moi qui lui avais fait cette requête, simplement pour le plaisir de mieux patiner... croyais-je! J'avais l'impression de voler dans ses bras; il me tenait de si merveilleuse façon. Nous glissions sur la surface de l'instant à la lumière du sentiment de l'amour qui était déjà présent, et ce, à notre insu.

Après les cours, nous avions l'habitude de nous rendre en groupe dans un café, et c'est là que nous avions plaisir à échanger et à cultiver simplement la joie d'être ensemble. Je prenais soin d'être toujours assise près de lui et il faisait probablement de même – je ne lui ai pas demandé – car nous étions toujours l'un près de l'autre.

Comme il était « libre » et que j'avais plusieurs amies célibataires, je me promis de lui présenter l'une d'elles. J'étais loin de penser que cet homme m'était destiné. Je vivais à ce moment-là une séparation à l'amiable, après dix-huit ans de vie commune, et je ne me sentais pas du tout prête à m'engager dans une nouvelle relation amoureuse. Mes amies ont attendu en vain que je leur présente cet homme extraordinaire dont je leur avais parlé et je crois qu'elles m'ont soupçonnée de vouloir le garder pour moi!

La session d'été se termina trop rapidement à mon goût. Je m'inscrivis aussitôt à la session d'automne avec ma voisine, espérant le revoir sans toutefois me l'avouer. Il était là, et nos séances de patinage en couple reprirent.

Plusieurs mois plus tard, le hasard ratoureux nous fit assister à l'émouvant spectacle de Gaston Miron *La marche à l'amour*, titre évocateur qui nous propulsa vers ce sentiment si fondamental. Ratoureux, puisqu'il a fallu que cette fois-là je me retrouve seule pour aller le reconduire, qu'il m'invite à entrer chez lui, que je remarque l'affiche du spectacle de Gaston Miron qui était l'un de ses amis, que je lui dise que je souhaitais parler à ce poète, qu'il me demande de l'y accompagner, et... ouf nous y voilà! Avant le spectacle, nous sommes allés patiner à l'Amphithéâtre Bell. C'était très particulier, une énergie toute joyeuse nous habitait. Je portais une robe, ce qui ajoutait une note très romanesque à l'activité. Je me sentais en harmonie, au bon endroit et avec la bonne personne.

Lors du souper au restaurant, avant la fameuse *Marche à l'amour*, nous nous sommes retrouvés à la table d'un de ses amis sans que ce soit prémédité. Nous n'avions jamais pris de repas en tête-à-tête et mon compagnon m'avoua, plus tard, qu'il avait éprouvé un pincement au cœur en constatant qu'une fois de plus, nous ne serions pas seuls.

Durant le spectacle, je notai davantage à quel point je me sentais paisible aux côtés de cet homme. J'aimais la bonté et la douceur qui se dégageaient naturellement de sa personne. Après la soirée, je rencontrai Gaston Miron et lui remis un exemplaire de mon livre, *Le Guide de l'Alimentation saine et naturelle*, dans lequel il avait accepté que j'y inscrive un de ses poèmes. À l'époque, nous avions atteint le chiffre de vente de soixante-cinq mille exemplaires et il en fut très content. Puis je reconduisis Bernard chez lui, car j'avais ma voiture. Je me sentais tellement émue que j'écourtai la conversation. Il me dit au revoir en m'embrassant sur les joues et c'est à ce moment-là que ses lèvres ont effleuré les miennes. Je le quittai rapidement, envahie par des ondes qui déferlaient en moi avec une telle intensité que j'avais peine à me concentrer. Cela dura un long moment magique. Vous savez, ces ondes qui partent du cœur et qui irradient dans tout le corps. L'amour se manifestait à coup sûr.

J'attendis jusqu'au cours suivant pour lui avouer mes sentiments qui,«par bonheur», étaient partagés.

Notre relation fut tout de suite si intense, si vibrante et si joyeuse que je me demandais combien de temps cela durerait. Il me rassura en me disant qu'il était convaincu qu'il n'en tenait qu'à nous, par notre présence l'un à l'autre, de cultiver et de conjuguer l'amour dans chacun des aspects de notre relation.

Nous vivons ensemble depuis huit ans et, comme nous sommes tous deux très occupés par notre travail et notre famille, nous savourons chaque moment passé en compagnie l'un de l'autre. Nous cultivons l'habitude de nous dire souvent des mots d'amour et des compliments et apportons une attention toute particulière aux instants que nous partageons. Nous nous sommes aperçus, à l'usage, que l'attention apportée aux mots, aux regards et aux gestes revitalise et renforce l'amour. Nous poussons nos limites en acceptant l'autre là où il est, sachant que nous sommes en mouvement et que nous nous bonifions ensemble.

Nourrir une relation est indispensable. Bernard sait me surprendre par des répliques mémorables, comme la fois où je lui ai dit: «Tu es si fantastique que tu vas sûrement aller au Ciel!», et voilà qu'il me répond: «J'y suis déjà avec toi mon amour!» Des paroles empreintes d'amour et de bonté.

J'admire sa délicatesse, sa tolérance et son grand respect pour les gens et pour tout ce qui est vivant. J'en suis arrivée, à mon insu, à aimer tout de lui, même ses petits travers. Si je le complimente, je souris en l'entendant répondre joyeusement: «C'est tellement bon pour l'ego d'un homme de vivre avec toi!» Il me rend bien la pareille. De plus, le titre de ce texte vient de lui. Il me l'a murmuré à l'oreille le jour où je m'étais mis en tête de vouloir me marier. Avec sa fameuse réponse «l'amour me marie à toi», nous avons célébré, à notre manière, ce mariage à deux.

Prendre le temps de voir réellement l'autre, se sentir confortable dans les moments de silence, s'appuyer sur son épaule, aimer se taquiner, s'aider au besoin, toutes ces attitudes rendent la vie à deux tellement enrichissante. Avoir des activités communes est aussi important. Bernard adore cuisiner, jardiner, danser, ce qui nous procure plusieurs bons moments à partager et à savourer.

Notre histoire est simple et n'a rien d'exceptionnel en soi, cependant elle est exceptionnelle dans sa réciprocité. Chaque jour, nous prenons le temps de nous dire que nous nous aimons, car nous sommes conscients que ce sont les petits gestes d'affection qui permettent à notre amour de grandir, tout comme la goutte d'eau va permettre à la plante de s'épanouir. Tout est lié, et plus nous nous plaisons à découvrir les qualités de l'autre et à lui dire combien nous le trouvons formidable, plus il le devient. Le contraire, hélas, est aussi vrai. Combien de couples se détruisent lentement mais sûrement! Grâce à Bernard, j'ai compris que nous avions le pouvoir de faire fleurir notre relation, par l'attention que nous y mettons chaque jour.

Mon bureau est à la maison et, à une certaine époque, prise par mon travail, j'oubliais de saluer Bernard lorsqu'il rentrait le soir. Il ne m'en a jamais fait le reproche. Dès son arrivée, il montait à l'étage où se trouve mon bureau, venait derrière moi et posait sa main dans mon dos – comme lui seul sait le faire – et m'embrassait sur la nuque dans un geste très amoureux. Je ressentais alors que j'étais une personne très importante à ses yeux. Son attitude m'a incitée à devenir plus attentive. Maintenant, chaque fois qu'il rentre à la maison, je mets mon travail de côté et descends «l'accueillir» pour lui démontrer qu'il est aussi très important pour moi, puisqu'il est l'homme de ma vie, et ce, même après de nombreuses années.

Nos opinions sur l'actualité et la vie peuvent diverger, et naturellement, sans faire trop de concessions, nous discutons allègrement. Je participe à ses activités de producteur et il m'aide de multiples façons dans mon travail d'auteure et de professeure en alimentation saine et naturelle. Vivre à deux et longtemps avec plaisir... c'est possible. Il faut de l'humour, le goût de prendre soin de soi, beaucoup d'autonomie et de la présence à l'autre.

Le patinage qui nous a permis de nous rencontrer est resté à l'image de notre couple. Nous avons glissé harmonieusement sur la patinoire au début de notre rencontre et nous glissons maintenant sur la vie et tout ce qu'elle recèle. Tout devient possible lorsqu'on apprend à vivre à deux, en toute confiance.

Renée Frappier

IL N'Y A RIEN D'AUTRE QUE L'AMOUR

Ce 25 décembre 2001, je revins chez moi dans la soirée, après avoir célébré Noël en famille. Je mis une bûche dans le poêle pour garder la maison au chaud toute la nuit, avant de monter dans ma chambre située à l'étage. Je m'endormis vers une heure trente pour me réveiller subitement une heure plus tard. Une odeur de fumée flottait dans l'air, mais je crus que je rêvais, car le détecteur de fumée du rez-de-chaussée était demeuré silencieux.

J'habitais, depuis une douzaine d'années, une maison de campagne centenaire située sur le bord d'un lac, dont j'étais copropriétaire avec mon ami, Bruno. Nous avions réglé l'hypothèque initiale et procédions à des rénovations au fur et à mesure que nos revenus le permettaient. Cette maison construite entièrement en bois était dotée d'un plafond en pente, isolé au bran de scie. Le bois avait travaillé au fil des ans et les planchers penchaient vers le milieu. Mon ami s'en accommodait très bien, mais pour ma part, je rêvais d'une maison neuve aux murs et aux planchers droits. J'ai un commerce saisonnier et je n'ai pas beaucoup de revenus pendant l'hiver, alors la réalisation de mon rêve me semblait très lointaine.

L'odeur de fumée persistant à l'étage, j'allai frapper à la porte de la chambre de mon ami pour le réveiller. Je n'arrivais pas à croire qu'il y avait vraiment un incendie jusqu'à ce que, inspectant la maison, je vis une toute petite flamme orange s'échapper du plafond, près de la cheminée. Cette vision me procura un véritable choc et restera imprégnée à jamais en moi. Ce qui n'arrivait qu'aux autres m'arrivait : le feu ravageait ma maison. J'appelai les pompiers qui se présentèrent sur les lieux quinze minutes plus tard.

Entre-temps, Bruno et moi avions sorti quelques meubles et effets personnels. J'étais maintenant dehors, assis sur le divan de mon salon, par une nuit d'hiver où la température atteignait les – 9°C et je regardais, en état de choc, ma maison se consumer. Les pompiers travaillaient très fort pour éteindre l'incendie. Il s'agissait de pompiers volontaires, mais ils connaissaient bien leur travail et l'effectuaient avec compétence. Ils espéraient sauver la maison et ne cessaient de me prodiguer des paroles d'encouragement, avec beaucoup de gentillesse.

En regardant la scène dramatique qui se déroulait devant mes yeux, je pris soudainement conscience que j'étais vivant, alors que j'aurais pu ne pas me réveiller cette nuit-là et mourir asphyxié par la fumée devenue rapidement très dense. Je levai la tête pour observer le ciel. Je l'avais rarement vu aussi magnifiquement étoilé. Je portai attention à la quinzaine de pompiers qui s'activaient autour de la maison, grimpant habilement aux échelles, déployant leurs tuyaux d'arrosage avec efficacité, et j'eus l'impression réconfortante de voir des petits anges œuvrant avec beaucoup d'amour pour tenter de sauver ma propriété des flammes.

Je pensai alors à mon père décédé. Je le revis dans ses derniers instants, le visage illuminé par une vision de l'au-delà tandis qu'il me disait avec étonnement : « Mais tout est amour... il n'y a rien d'autre que l'amour ! » Mes yeux s'embuèrent au souvenir de cet instant merveilleux. C'est alors que tout devint amplifié. Je ressentis avec intensité toute la magie du moment, la beauté des étoiles scintillant dans le ciel, l'amour palpable autour de moi, la compassion des gens et leur désir sincère de me venir en aide. Tout cela me soutenait et me procurait une joie profonde, malgré la tristesse de l'événement.

Vers sept heures le matin, nous eûmes l'autorisation d'entrer dans la maison. Le spectacle qui s'offrit à nous était désolant. L'eau qui s'écoulait du toit s'était accumulée au milieu du plancher arrondi de l'étage. Cette mare d'eau s'égouttait au rez-de-chaussée, formant un rideau de pluie au centre de la pièce. Après le départ des pompiers, je fis le tour des lieux avec Bruno, découragé par l'ampleur du désastre. C'est alors que je baissai la tête et vis le sol tapissé de photos qui flottaient à la surface de l'eau.

Je conservais mes photographies dans une boîte de carton, dans ma chambre, en vue de les ranger dans un album après la période des Fêtes. L'arrosage avait détruit la boîte contenant les photos, et l'eau les avait propulsées un peu partout dans la pièce. Elles s'étaient retrouvées au rez-de-chaussée, après être passées par la trappe, cette ouverture dans le plancher qui permettait à la chaleur de monter à l'étage lorsque nous chauffions le poêle à bois. La vue des visages souriants de nos parents et amis, venant vers nous en voguant doucement sur l'eau, m'émut beaucoup. La gorge nouée, je dis à Bruno : «C'est fantastique! Regarde tous nos amis qui nous sourient, comme pour nous faire comprendre qu'ils sont avec nous et nous soutiennent dans l'épreuve.» Je me sentais entouré d'une telle énergie d'amour que mon cœur se remplit de joie. Je me trouvais même chanceux d'avoir l'occasion de vivre un moment aussi attendrissant, alors que j'étais plongé au cœur de la désolation.

C'est étrange que l'on ait parfois besoin d'affronter un malheur pour apprécier la vie à sa pleine valeur. Je frissonnai en pensant que j'étais vivant, que je n'avais subi aucune blessure et que les pertes n'étaient que matérielles. J'étais même persuadé qu'il ne pourrait résulter que des conséquences positives de cette tragique expérience.

L'enquête révéla que l'incendie avait été causé par une fissure dans la cheminée au niveau de l'entretoit et les assurances couvrirent les frais de reconstruction de la maison, dont la structure de base a pu être conservée. Me voilà maintenant copropriétaire d'une maison neuve, aux murs et aux planchers droits, tel que je l'avais rêvé.

Mais le plus extraordinaire dans cette aventure est que Bruno et moi avons eu l'idée d'aménager un espace de la maison en un lieu de prière et de méditation, afin d'y accueillir nos amis. Ceux-ci comparent maintenant notre maison à un sanctuaire où ils viennent se ressourcer en toute quiétude.

Je n'ai donc rien perdu dans cet incendie, au contraire, tout ce qui aurait pu avoir des conséquences négatives s'est transformé en quelque chose de meilleur. Je considère que le feu a été un élément purificateur très puissant. C'est comme si, après avoir été purifiée par l'élément feu, ma maison est ressuscitée des cendres, tel un phénix, et qu'elle bénéficie maintenant d'une deuxième vie pour accomplir sa vocation de lieu d'inspiration.

Parallèlement, cette expérience me procure un souffle nouveau qui m'amène vers une autre étape de ma vie, remplie d'amour et d'abondance à plusieurs niveaux. Les dernières paroles de mon père prennent tout leur sens pour moi, aujourd'hui. Oui, il n'y a vraiment rien d'autre que l'amour...

Alain Lévesque

UNE INVITATION À LA VIE

Au sortir de l'enfance, pendant des années, j'ai vécu un profond malaise intérieur. C'était comme si j'avais été parachutée sur terre sans jamais pouvoir atterrir. Je survolais ma vie en étant coupée de mes sentiments véritables, incapable d'accueillir vraiment les moments de bonheur ou encore d'affronter ceux qui s'avéraient plus difficiles. Je n'arrivais pas à vibrer intérieurement, à me sentir vivante. Il m'était impossible d'exprimer mes émotions avec spontanéité. Au contraire, je m'efforçais de contrôler tout ce qui montait en moi, ainsi que l'image que je projetais extérieurement, désirant inconsciemment influencer la perception des autres. Jusqu'au jour où, à l'âge de trente-quatre ans, j'appris que j'étais enceinte pour la première fois.

Cette heureuse nouvelle eut l'effet d'un coup de fouet destiné à me sortir de l'espèce de torpeur dans laquelle je vivais. Tout est devenu subitement très simple. J'avais l'impression d'être illuminée de l'intérieur et je me sentais rayonnante. Pour une fois, je ne cherchais pas à fuir ce qui m'habitait, mais à vivre intensément, partageant avec Yves, mon amoureux, le grand bonheur de donner la vie à un enfant.

À trois mois de grossesse, j'ai constaté un très léger saignement vaginal et, inquiète, je me suis immédiatement rendue à la clinique. Mon médecin s'est fait rassurante dans ses propos, mais elle m'a tout de même prescrit une échographie dans le but de confirmer que tout se déroulait normalement.

Yves m'a accompagnée à l'hôpital. Nous étions tous les deux fébriles à l'idée de pouvoir regarder la première image de notre enfant. J'avais vraiment l'impression que nous nous préparions à vivre un moment exceptionnel, un événement que nous n'oublierions jamais.

Je me suis allongée sur la table d'examen sans aucune appréhension. Mon amoureux me tenait tendrement la main, tandis que l'infirmière massait mon ventre avec un appareil. Tout à coup, une image est apparue sur l'écran, un tout petit point qui nous procura une grande excitation. C'était notre bébé que nous pouvions enfin voir concrètement !

L'infirmière continua de masser mon ventre afin de localiser le cœur fœtal. Elle promenait son appareil dans tous les sens, insistant de plus en plus, mais sans trouver ce qu'elle cherchait. À un moment donné, j'ai compris que quelque chose n'allait pas, et j'ai senti mon cœur chavirer. Avec beaucoup d'hésitation, choisissant les mots appropriés pour ne pas trop nous affoler dans une pareille circonstance, elle finit par nous apprendre... *qu'il n'y avait pas de battement de cœur fœtal.*

Cela me sembla tellement épouvantable de vivre ainsi ce drame en direct, les yeux rivés sur l'écran, que je refusai tout d'abord d'y croire. Je me disais que c'était impossible, que c'était une erreur, un mauvais rêve... Mais en même temps, j'avais devant moi la preuve visuelle que mon cauchemar était bien réel : le bébé était décédé dans mon utérus. Je fus bientôt forcée d'en admettre l'évidence et une douleur fulgurante transperça tout mon être. Tremblant des pieds à la tête, je me mis à pleurer, sans pouvoir m'arrêter.

Jusqu'alors dans ma vie, j'avais toujours eu de la difficulté à m'affirmer vraiment, à faire de la place à mes convictions et à les défendre. Souvent, pour ne pas déplaire, je préférais me plier de bonnes grâces à ce qui m'était proposé, même si cela allait à l'encontre de mes besoins. Cependant, lorsqu'on me demanda, au sortir de cette tragique échographie, de prendre un rendez-vous pour un éventuel curetage utérin, une émotion viscérale monta du plus profond de mon être et me fit réagir très fermement. Il n'était pas question que je quitte l'hôpital pour retourner à la vie «normale» avec un bébé mort dans mon ventre. J'exigeai qu'on me trouve une chambre où je pourrais attendre sur place le moment du curetage. Je voulais rester dans l'instant présent; je voulais vivre ma peine. Mon corps portait un drame et je sentais qu'il était immensément important que je le respecte et que je m'y abandonne.

C'est ainsi que je me suis retrouvée au cœur de ma peine, allongée dans une chambre d'hôpital anonyme, tandis que Yves reposait sur un matelas posé à même le sol. La vie me portait subitement un grand coup qui me déstabilisait complètement et m'amenait à verser un torrent de larmes. J'éprouvais un immense chagrin, mais en même temps, il se passait quelque chose d'étrange à l'intérieur de moi. J'avais l'impression d'atterrir enfin, comme si j'étais en train de naître à travers cette expérience douloureuse. Mon cœur, mon corps et mon âme se fondaient en une même expérience.

Voilà que j'acceptais de lâcher prise et d'être simplement là, de faire face à la réalité, de vivre consciemment cette confrontation avec la vie et la mort. L'acceptation de ce qui est, sans aucune fuite, m'amenait dans une forme d'ouverture intérieure. Je pressentais l'importance d'accueillir les expériences, quelles qu'elles soient, parfois heureuses et gratifiantes, ou encore tristes et même tragiques, comme celle que j'étais en train de vivre.

Noyée dans ma peine, je perdis la notion du temps. Il faisait nuit lorsqu'on vint me chercher pour le curetage. On me ramena ensuite dans ma chambre et je m'endormis. Je me réveillai au petit matin, tandis qu'un rayon de soleil inondait la pièce. Il était six heures et un grand silence régnait sur les lieux. Ce nouveau jour qui naissait me sembla tout à coup d'une beauté sublime. Ce soleil qui m'appelait dans le silence de la chambre, la présence de mon amoureux qui dormait à proximité, cette paix intérieure qui m'envahissait, tout cela représentait une invitation à la vie que je ne pouvais refuser.

Je réalisai que, pour la première fois de mon existence, *j'habitais* entièrement mon corps, avec mes sentiments, mes émotions, et même ma douleur physique. Je me sentais alignée, plus vivante que jamais, comme si toutes les parties de moi étaient réunifiées, dans une parfaite harmonie. Je m'abandonnais, permettant à mon corps, mon cœur et mon âme de s'ouvrir. J'éprouvai à cet instant précis, une réelle sensation de bonheur, comme je n'en avais jamais éprouvée auparavant; un simple bonheur d'être là, vivante, vibrante à la vie.

Ma vie reprit son cours et, deux ans plus tard, je fus à nouveau enceinte. J'eus alors un réflexe courant chez une femme qui a fait une fausse couche, je me coupai de mes émotions par peur d'être blessée une nouvelle fois. Je parlais de ma grossesse sans excitation, comme s'il s'agissait d'un événement tout à fait banal. Je n'arrivais pas à ressentir le bonheur de porter un enfant, cet enfant que nous avions tellement désiré, Yves et moi. Ce déni de ce qui m'arrivait, cette sensation d'être en retrait de ma vie m'étaient des plus désagréables.

Je consultai alors une thérapeute en «focusing», Denise Noël. Elle m'aida à trouver le courage et la volonté de m'abandonner à ce qui m'habitait et, après quelques séances, j'arrivai à contacter ma peur de souffrir et à l'apprivoiser, au lieu de la fuir comme je le faisais instinctivement. Quelques semaines plus tard, je plongeais au cœur de ma grossesse avec un bonheur absolu.

Cette deuxième grossesse se déroula sans problèmes. Étant donné mon âge, on m'avait fait une amniocentèse pour s'assurer que le bébé se développait normalement. Yves et moi n'avions pas voulu connaître à l'avance le sexe de l'enfant, préférant garder un élément de surprise. Lors de l'accouchement, je m'écriai avec beaucoup d'émotion: «Yves, je t'ai fait une fille... je t'ai fait une fille!»

Émue au plus profond de l'âme, j'avais conscience de vivre un moment unique en regardant mon amoureux couper le cordon ombilical de notre petite fille, tandis que des larmes de joie inondaient son visage. J'étais émerveillée de le voir serrer tendrement notre petit trésor dans ses bras, en lui chantant tout doucement ses premiers mots d'amour.

Il était six heures le matin et un magnifique rayon de soleil inondait la pièce, cette même lumière chaude et caressante qui avait accompagné mon réveil lors de ma fausse couche deux ans auparavant. À travers la magnificence de ce jour naissant, je pris conscience qu'il n'y avait pas de hasard et que je recevais, pour la seconde fois, une invitation à la vie. C'était aussi une invitation à accueillir avec gratitude le moment extraordinaire qui m'était si généreusement offert, ainsi que tous les autres qui suivraient.

Après avoir vécu plusieurs années de ma vie en étant fragmentée, j'apprécie de me sentir maintenant unifiée, centrée. Ce changement est dû, en grande partie, au travail que j'ai pu effectuer sur moi à l'aide du focusing. J'ai aujourd'hui comme objectif principal d'être de plus en plus présente à ce qui est, à ce que je vis dans mon corps, mon cœur, ma tête et mon âme, afin de pouvoir être aussi présente aux autres. Grâce aux outils que je suis allée chercher en thérapie et que j'utilise couramment dans ma vie personnelle et professionnelle, j'éprouve un grand bien-être.

Il existe des personnes compétentes autour de nous qui peuvent nous fournir d'excellents outils pour affronter et surmonter nos difficultés. Je pense qu'il ne faut pas hésiter à demander de l'aide lorsque le besoin s'en fait sentir, afin d'en arriver à vivre en harmonie avec soi-même et avec les autres, pour être en mesure de célébrer à chaque instant, du mieux que l'on peut et avec amour, cette vie magique que l'on a entre les mains.

Nathalie Coupal

CET HOMME,
IL EST POUR MOI!

L'an 2000, annoncé par tous les prophètes de la terre comme une ère de grands changements, fut effectivement un tournant extrêmement important dans mon existence. À l'aube de cette ère nouvelle, j'approchais la cinquantaine et je me retrouvais seule pour la première fois de ma vie. Je n'avais pas d'amoureux et mon fils, qui allait avoir dix-huit ans, venait d'emménager dans son propre appartement.

Les vingt dernières années avaient été difficiles financièrement pour l'artiste que je suis. Réussissant tant bien que mal à subvenir à mes besoins et à ceux de mon fils grâce à la chanson, je devais régulièrement arrondir mes fins de mois en effectuant différents boulots. J'avais souvent la désagréable impression d'être sur une voie sans issue et qu'il me faudrait travailler très fort toute ma vie pour joindre les deux bouts.

Au cours de toutes ces années, j'étais demeurée à l'affût, cherchant l'âme sœur dans plusieurs hommes qui croisaient mon chemin. J'avais eu quelques relations amoureuses, bien sûr, mais aucune n'avait duré très longtemps. Je croyais fermement que l'amour entre deux êtres pouvait exister, mais j'avais l'impression d'être passée à côté sans le reconnaître, trop préoccupée par ma carrière. Je me disais qu'il était maintenant trop tard pour moi et que je devais me faire une raison, sans tomber dans l'amertume.

Mais avant de renoncer définitivement à l'homme de ma vie, j'ai tenté un dernier recours vers le Ciel en adressant cette prière : «Mon Dieu si tel est mon destin de vivre seule, je l'accepte, mais vous devez m'aider en m'enlevant le désir des hommes. Si vous m'en croyez incapable, eh bien, aidez-moi à trouver un mari!» J'avais précisé quelques qualités que devait posséder l'homme de ma vie : le sens de l'humour, le romantisme, le charme, l'intelligence et l'autonomie financière. Il devait aussi respecter mes croyances.

Le nouveau millénaire me semblait porteur d'espoir. J'avais l'impression d'être à une croisée des chemins et que tout pouvait m'arriver. J'en reçus la confirmation lorsqu'un producteur que je connaissais depuis quelques années obtint les subventions appropriées pour démarrer notre projet d'album pour enfants, rêve que je caressais depuis longtemps. En effet, depuis dix ans, je m'étais spécialisée dans les spectacles pour un public de jeunes.

Ma carrière qui était au plus bas prit soudainement de l'essor avec cet album, mais ma vie amoureuse demeura au point mort. Malgré mes prières, je me sentais parfois un peu découragée et j'étais sur le point de renoncer à trouver cet homme dont mon cœur se languissait depuis si longtemps. L'idée de passer à côté de l'amour dans ma vie présente me rendait triste, même si je l'acceptais, et je me consolais en me disant que ce serait peut-être pour ma prochaine vie!

C'est alors que je reçus un coup de fil d'une grande amie qui demeurait en Angleterre, et à qui j'avais rendu visite à trois reprises depuis qu'elle avait emménagé là-bas. Mère de trois enfants et récemment divorcée, elle vivait des moments très difficiles.

«J'ai rencontré un homme formidable, me dit cette amie. Il est tellement prévenant, délicat et serviable. Il me téléphone tous les jours pour m'encourager, m'amène au restaurant ou au théâtre pour me distraire. Bref, il prend soin de moi en toute amitié, sans rien me demander en retour. Quel dommage que je ne sois pas amoureuse de lui, car ce serait l'homme idéal pour moi.»

En entendant cela, ce fut une révélation dans mon cœur : «Cet homme, il est pour moi!» C'était évident puisqu'elle et moi avions toujours été à l'opposé dans le choix de nos amours. Si cet homme merveilleux ne lui convenait pas, c'était parce qu'il m'était destiné.

Je me suis alors rappelé mon premier voyage en Angleterre. Dès ma descente d'avion, j'avais remarqué les autocollants sur les automobiles : «GB» pour Grande-Bretagne. Mais c'était aussi les initiales de mon nom qui se retrouvaient sur toutes les voitures.

«Serait-ce un signe?», m'étais-je alors demandé, suivi d'un refus spontané : «Non! Mon Dieu, ne me faites pas cela! L'Europe m'attire, mais je vise plutôt une carrière du côté de la France. Je ne veux pas vivre en Angleterre, moi qui ne balbutie que quelques mots d'anglais, et le style gentleman ne m'attire pas particulièrement.»

Au cours de l'été, nous nous sommes téléphoné à plusieurs reprises, mon amie et moi, et celle-ci ne cessa de me vanter les qualités de Hugh, son charmant homme d'affaires anglais. Sans oser lui en parler, je pensais chaque fois : «Mais cet homme, il est vraiment pour moi!» Je me disais qu'il me faudrait bien retourner en Angleterre pour le rencontrer et vérifier si mon intuition était fondée.

En août, cette même amie me téléphona pour m'annoncer que Hugh devait se rendre dans l'État du Vermont aux États-Unis, à la mi-septembre, pour témoigner à un procès dans le cadre de son travail. Comme il devait faire escale à Montréal, elle me demanda de l'héberger pour la fin de semaine. Je fus sidérée en entendant cela. Alors qu'elle ignorait tout de mes sentiments, ma meilleure amie me livrait «mon homme idéal» à domicile, sur un plateau d'argent. Je n'en revenais tout simplement pas.

Je me sentais fébrile, ce 17 septembre 1999, sachant que Hugh serait bientôt là. J'avais pris soin de me faire belle, puisque j'attendais mon prince charmant. J'ignorais cependant de quoi il avait l'air physiquement et un doute s'empara bientôt de moi: allait-il me plaire? Il aurait probablement le crâne dégarni et le ventre bedonnant comme plusieurs de ses congénères dans la cinquantaine. Je me rassurai en me disant que si le déclic ne se produisait pas entre nous, je pourrais toujours le refiler à mon amie française, Lydie, que j'avais invitée à se joindre à nous pour le souper, sachant qu'elle parlait l'anglais et qu'elle recherchait aussi l'âme sœur.

Dès que je vis les petits yeux pétillants de mon invité et sa belle chevelure abondante, dans l'encadrement de la fenêtre, mon cœur chavira. Je tombai en amour à l'instant même.

Gentleman, Hugh s'était arrêté chez la fleuriste en venant de l'aéroport. «Vous voulez offrir des fleurs à une femme, lui avait dit celle-ci, pourquoi pas une douzaine de roses?»

– Non, avait-il rétorqué, les roses sont le symbole de l'amour et c'est une amie que je vais rencontrer, pas une amoureuse. Faites-moi plutôt un assortiment de fleurs variées.

Je serrais maintenant sur mon cœur le magnifique bouquet coloré que cet homme charmant venait de m'offrir avec son plus beau sourire. J'étais émue par tant de délicatesse. Mais lorsque je vis arriver Lydie, tout en beauté ce soir-là, je crus que je venais de perdre toutes mes chances auprès de mon bel Anglais. Pendant que je m'affairais dans la cuisine, je les entendais converser joyeusement dans la langue de Shakespeare et je constatai tout au long du repas, quelque peu déçue sans être amère, que Hugh n'avait d'yeux que pour ma belle amie.

Vers la fin du repas, Hugh cessa soudainement de prêter attention aux propos de Lydie pour regarder du côté de la cuisine où je préparais le café. Il me vit alors entourée d'une sorte de lumière et en fut saisi. Aussi étrange que cela puisse paraître, je devins instantanément la seule femme au monde pour lui. Après le départ de mon amie, il vint me rejoindre à la cuisine et je compris, par l'intensité de son regard posé sur moi, que mon intuition ne m'avait pas trompée et qu'il était vraiment l'homme de ma vie.

Le lendemain soir, je donnais un spectacle auquel mes deux invités de la veille assistèrent. Hugh me dévorait du regard et j'en fus perturbée au point d'oublier mon texte à quelques reprises au cours de la représentation. Ce soir-là, il devint évident pour tous les gens autour de nous qu'un grand amour nous unissait déjà, tous les deux.

L'élu de mon cœur rencontrait les cinq premiers critères que j'avais mentionnés dans ma prière : le sens de l'humour, le romantisme, le charme, l'intelligence et l'autonomie financière. Lorsqu'il insista pour m'accompagner à l'église le dimanche matin, je crus tout d'abord qu'il agissait par gentillesse. Mais, chose rare de nos jours, il partageait aussi ma foi puisqu'il était catholique pratiquant, tout comme moi. Je remerciai Dieu, du plus profond de mon cœur, émerveillée que ma prière ait été exaucée sur tous les points.

Hugh quitta mon domicile très tôt le lundi pour attraper son vol à destination du Vermont. Malgré notre désir réciproque et nos baisers brûlants, nous n'avions pas consommé notre union au cours de cette merveilleuse fin de semaine. Sachant très bien qu'il ne s'agissait pas d'une aventure passagère, nous préférions déguster pleinement les préliminaires de notre amour naissant. Après son départ, je découvris avec émotion, camouflés un peu partout dans la maison, plusieurs petits billets doux sur lesquels il avait écrit : *Je t'adore*. Quelle merveilleuse façon de débuter la semaine !

Je craignais de ne pas le revoir de sitôt, car il devait retourner en Angleterre dès la fin du procès, le jeudi. Mais le juge américain, mis au courant de la situation, devint complice de notre amour. Il adressa un clin d'œil à Hugh, lui intimant l'ordre de demeurer disponible pour la Cour jusqu'au vendredi, ce qui lui permit de passer une autre fin de semaine à Montréal, au retour.

Hugh s'arrêta de nouveau chez la fleuriste. Celle-ci le reconnut et lui dit : «Je vous prépare le même bouquet que la semaine dernière?»

– Non, répondit-il l'œil taquin, préparez-moi une douzaine de roses pour la femme de ma vie.

– Ça alors, dit la fleuriste épatée, ils sont rapides ces Anglais!

J'entrai donc dans le nouveau millénaire en entendant les mots «Je t'aime» prononcés amoureusement par l'homme qui faisait battre mon cœur. Notre mariage civil eut lieu en janvier 2000, suivi, six mois plus tard, d'un mariage religieux célébré dans une chapelle royale datant de plus de mille ans, en présence de mon fils, de quelques membres de ma famille et de mes amis les plus chers. Je n'oublierai jamais l'atmosphère féerique de cette journée, qui se déroula sous un ciel sans nuage, fait rare sur le continent anglais.

L'an 2000 dépassa toutes mes attentes et m'apporta en cadeau la réalisation de trois de mes plus grands rêves : l'enregistrement d'un disque pour enfants, *Sur les traces de Poiléplume*, projet qui a pu être réalisé, entre autres, grâce à la généreuse contribution financière de mon bien-aimé ; une carrière internationale qui m'amène à vivre sur deux continents ; et, surtout, mon mariage, deux fois plutôt qu'une, avec l'homme de ma vie. Celui-ci m'a d'ailleurs fait la réflexion suivante : «You know why did you find me? Because I searched for you...»[1]

Je savoure mon bonheur au quotidien, le cœur rempli d'amour et de reconnaissance. Mon expérience confirme ce que nous révèlent de sages écrits : plus nous sommes tenaces dans la prière, plus la récompense est grande.

Gaëtane Breton

---

1. Tu sais pourquoi tu m'as trouvé? Parce que je te cherchais...

LE CADEAU DE MA MÈRE

*L*e travail que l'on fait sur soi, pour essayer de comprendre ce que l'on vit et guérir nos blessures intérieures, finit toujours par porter ses fruits. J'en reçus la preuve au moment du décès de ma mère, en janvier 2001. Au cours des deux derniers mois de sa vie, je vécus auprès d'elle des moments d'une infinie douceur qui effacèrent complètement les quarante années de conflits que nous avions vécues ensemble.

Très jeune, je voyais ma mère comme une personne austère et contrôlante, qui exigeait que je lui obéisse et qui ne m'écoutait jamais. Je ne me souviens pas qu'elle m'ait serré dans ses bras ou qu'elle m'ait dit qu'elle m'aimait, à tel point que j'ai cru pendant longtemps qu'elle n'était pas ma véritable mère. Ce manque de communication me poussa vers la rébellion. Incapable de lui parler de mes sentiments réels, j'étais en conflit permanent avec elle. Nous réagissions l'un à l'autre comme le feu et l'eau.

À vingt-sept ans, mon corps se rebella à son tour, face à toutes ces émotions refoulées, et je me retrouvai avec un problème de psoriasis généralisé. J'entrepris alors une recherche personnelle pour comprendre l'origine de cette maladie, tout en me dirigeant vers des études en chiropractie. Ce choix de carrière ne relevait pas du hasard, puisque le travail du chiropraticien consiste à remettre du mouvement dans les structures osseuses, tout comme je cherchais à remettre du mouvement dans ma relation avec ma mère qui ne s'améliorait pas au fil des ans.

Pendant des années, mon cheminement évolutif se poursuivit à l'intérieur de plusieurs formations, dont la kinésiologie, la psychoneurologie et la métamédecine, ainsi qu'avec l'aide de différents thérapeutes en médecine alternative que je consultai. Je découvrais des pistes intéressantes pouvant expliquer mon conflit face à ma mère, pistes qui remontaient à l'événement le plus traumatisant de ma vie : ma naissance. Mais lorsque je questionnais maman, je n'obtenais jamais de réponses corroborant mes découvertes. Elle persistait à dire que j'étais venu au monde rapidement, sans aucune difficulté, ce dont je doutais.

Ma mère me consultait de temps à autre, en tant que chiropraticien. Comme elle ne se sentait pas bien depuis plusieurs mois, mon père me demanda de la voir à mon bureau. Dès que je posai mes mains sur elle, je perçus que son corps était très mal en point et lui conseillai de se rendre de toute urgence à l'hôpital pour des examens.

On lui fit une chirurgie abdominale exploratrice le jour même pour découvrir qu'il était trop tard pour intervenir. Le cancer avait rongé ses intestins et s'était propagé aux autres organes. Elle refusa la chimiothérapie après quelques traitements, et choisit de mourir en douceur à la maison, entourée des siens. Curieusement, malgré la gravité de son état, elle n'éprouvait aucune douleur.

Nous étions en état de choc, mon père, mon frère, mes sœurs et moi. Ma mère avait toujours été le pivot de la famille et nous ne pouvions pas accepter qu'elle nous quitte si brusquement. Voyant à quel point la famille était ébranlée, je proposai de nous réunir et de partager nos sentiments, afin de nous épauler mutuellement à travers cette épreuve. Tout en nous relayant au chevet de maman, nous avons donc pris le temps de nous asseoir régulièrement ensemble pour échanger sur ce que nous vivions individuellement, la peine, la colère, etc. Nous parlions de notre conception de la mort et de l'au-delà ; chacun apportait des livres sur le sujet pour alimenter nos discussions.

Petit à petit, en parlant ouvertement de la mort, nous sommes arrivés à l'apprivoiser, à libérer nos émotions douloureuses face à elle et à diminuer notre sentiment de perte. Ces échanges contribuèrent aussi à resserrer les liens entre nous, à créer un véritable clan familial.

Pour ma part, ces deux mois passés au chevet de maman m'ont permis d'amorcer, pour la première fois de ma vie, un dialogue très intime avec elle. Elle me révéla enfin la vérité au sujet de ma naissance, quarante et un ans plus tôt. Elle me raconta que je m'étais présenté plus vite que prévu et que le médecin n'était pas encore à l'hôpital. Voyant cela, les infirmières paniquèrent et lui refermèrent les jambes en lui demandant de me retenir jusqu'à ce que le médecin soit sur place. Maman m'a donc retenu la tête coincée dans son vagin pendant une vingtaine de minutes, avant de sombrer dans l'inconscience à l'arrivée du médecin.

Ce n'était pas un très bon départ dans la vie. Mon cerveau de nouveau-né a interprété ces événements à sa façon : *maman me retient parce qu'elle a honte de moi.* D'où l'origine de ma relation conflictuelle avec elle. À travers diverses thérapies, dont la régression et l'hypnose, j'avais réussi à percer une partie du mystère entourant ma naissance et maman me confirma ce jour-là que je ne m'étais pas trompé. Cela me rassura en me prouvant que j'avais suivi le bon chemin et que toutes ces années de recherche intérieure n'avaient pas été inutiles.

La veille de sa mort, c'était à mon tour d'être au chevet de maman. Elle reposait sur le côté, me tournant le dos, tandis que j'étais assis près de son lit et lui parlais doucement. Le moment me semblait propice pour lui ouvrir tout grand mon cœur, et boucler la boucle avec elle avant qu'il ne soit trop tard. Je lui dressai le bilan de notre vie passée ensemble, prenant le temps de lui expliquer tout ce qu'elle m'avait offert sur le plan de l'essence humaine. Je lui mentionnai les parties d'elle que j'avais aimées et celles que j'avais détestées sur le moment, mais que je percevais différemment aujourd'hui.

Par exemple, en jouant le rôle d'une mère contrôlante, elle m'avait incité à devenir autonome. Son manque de tendresse à mon égard m'avait forcé à aller vers les autres. Son attitude rigide et ses non-dits m'avaient stimulé à développer la communication avec les gens, et ainsi de suite. Je lui étais infiniment reconnaissant aujourd'hui, car je réalisais que sans elle, je ne serais pas devenu l'homme équilibré que j'étais.

Je lui partageais mes sentiments, sans aucune attente, mais elle m'offrit en retour un cadeau inestimable en m'ouvrant la porte de son cœur. Dans un ultime effort, elle tourna la tête vers moi et prononça, pour la première fois, ces mots merveilleux que je croyais ne jamais entendre de sa bouche : « Yves, je t'aime ! » Pleurant de gratitude, je la pris alors dans mes bras et la remerciai sincèrement d'avoir été la mère qu'elle était, et de m'avoir ainsi poussé à me dépasser.

Je la bordai tendrement ce soir-là et le lendemain matin, je sus, en la voyant, qu'elle ne passerait pas la journée. J'en avisai mon père. Constatant qu'elle respirait difficilement, je la pris dans mes bras et lui soufflai doucement à l'oreille : « Maman, il est temps de partir. » Elle cessa de respirer à l'instant même. Tout était désormais accompli entre elle et moi. Malgré mon chagrin, je me sentais paisible intérieurement. Je ressentais une immense gratitude face à ma mère qui m'avait offert le privilège de mourir dans mes bras. Je la gardai tout contre moi un moment, la remerciant encore une fois pour tout ce qu'elle m'avait apporté dans cette vie, puis je cédai la place à mon père afin qu'il puisse lui faire ses adieux à son tour.

Les derniers instants de ma mère ainsi que son décès furent la partie la plus apaisante de ma relation avec elle. Quarante années d'incompréhensions s'effacèrent instantanément pour faire place à une ouverture du cœur incroyable. Cela a permis de rééquilibrer le mouvement naturel mère-enfant, faussé dès le départ par une perception erronée de ma part : *ma mère me retient parce qu'elle a honte de moi.*

Ma perception est différente aujourd'hui et je peux passer à l'action et exploiter librement ma créativité sans me sentir retenu. J'écris des livres, je donne des conférences et j'anime des ateliers de spiritualité, à travers le monde.

Cette expérience fut la plus enrichissante de toute ma vie. Je suis conscient que ce moment de grâce, vécu avec ma mère dans les derniers instants de sa vie, n'est pas le fruit du hasard, mais la conséquence directe du travail intérieur que j'ai effectué pendant des années, afin de bâtir une relation plus saine avec elle.

Yves Sévigny

UN LOURD SECRET

*J*e suis rarement malade, mais ce jour-là, j'étais aux prises avec des nausées et des vomissements intenses, et j'en connaissais la cause profonde. Mon corps me criait de me libérer de ce lourd secret que je portais en moi depuis des années.

Je me revis vingt-quatre ans auparavant. Mon conjoint avait un comportement des plus bizarres depuis quelque temps. Suite à une crise de psychose aiguë, il fut conduit d'urgence à l'hôpital où l'on diagnostiqua qu'il souffrait de schizophrénie. Cette nouvelle m'atteignit en plein cœur. Enceinte de deux mois, j'aurais pu recourir à l'avortement, invoquant la grande détresse psychologique dans laquelle cette situation inattendue me plongeait. Mais ce petit être que je portais à l'intérieur de moi occupait déjà une place unique dans mon cœur. Je choisis de le garder et de couper le lien avec son père. L'inquiétude qui me broyait le cœur m'incitait à former une sorte de bouclier protecteur autour de mon enfant dont j'avais maintenant l'entière responsabilité.

À cinq mois et demi de grossesse, il s'est produit un événement qui m'a rassurée. Le bébé a basculé dans l'utérus pour venir se placer la tête en bas. C'était relativement tôt dans la grossesse, mais j'ai compris qu'il ne s'agissait pas d'un hasard. Je suis sensible à l'énergie et je pouvais clairement ressentir les forces de vie qui travaillaient au niveau de sa tête, effectuant des ajustements énergétiques. À partir de ce moment, je n'eus plus d'inquiétudes concernant la santé mentale de mon enfant. Je savais intuitivement qu'il était protégé, que cette hérédité paternelle ne faisait pas partie de son chemin de vie.

Je portais haut et fier mon ventre de huit mois de grossesse lorsqu'un ami de cœur, que j'avais perdu de vue depuis quelques années, réapparut dans ma vie. Le moment devait sans doute être propice pour nous deux, puisqu'une belle complicité amoureuse s'établit immédiatement entre nous. Deux semaines plus tard, j'accouchai prématurément, soutenue par mon amoureux qui considéra immédiatement mon enfant comme son propre fils. Ce geste d'amour gratuit me toucha beaucoup.

Mon conjoint adopta légalement mon enfant et nous décidâmes, d'un commun accord, de ne pas lui révéler ses origines, craignant de le perturber inutilement. Mais plus les années passaient, plus le secret devenait lourd à porter. Nous en avions parlé à quelques reprises, mon conjoint et moi, mais chaque fois, nous en étions venus à la conclusion que ce n'était pas le bon moment pour lui d'apprendre la vérité concernant sa naissance.

Mon fils était maintenant père de famille et je le croyais suffisamment solide pour faire face à la réalité, quelle qu'elle soit. De toute façon, je ne pouvais plus garder en moi ce terrible secret qui m'étouffait et me rendait malade. Je ne cessais de penser à la façon dont je lui parlerais de son passé, repassant constamment le discours dans ma tête pour essayer de trouver les bons mots, lorsqu'il se pointa à l'improviste à mon travail. Je sautai sur l'occasion, lui disant : «Je suis contente de te voir, car il faut absolument que je te parle ! C'est très important…, crois-moi ! » Intrigué par l'urgence qu'il détectait dans ma voix, il me proposa d'aller chez lui, où nous pourrions parler seuls en toute tranquillité.

Il m'était désormais impossible de repousser cette confrontation dont la perspective m'angoissait au plus haut point. J'avais le cœur serré dans un étau, et je tremblais des pieds à la tête, appréhendant sa réaction lorsqu'il apprendrait que, non seulement celui qu'il aimait comme un père n'était pas son père biologique, mais, surtout, que ce dernier souffrait d'une maladie mentale irréversible. Quel choc j'allais lui donner! Allait-il me pardonner de ne pas lui avoir révélé la vérité plus tôt?

Voyant mon état de grande nervosité, mon fils s'assit en face de moi et prit mes deux mains dans les siennes, dans un geste empreint d'affection. Ne pouvant plus contenir l'émotion qui montait du fond de mes entrailles, j'éclatai en gros sanglots convulsifs. Mon âme accouchait douloureusement de son secret trop longtemps refoulé. Je suppliais mon fils à travers mes larmes: «Aide-moi, je t'en prie..., aide-moi!» Ce dernier me regardait avec de grands yeux interrogateurs, ce même regard curieux et limpide qui m'impressionnait tant lorsque, bébé, je le posais sur mon ventre pour l'admirer à souhait.

Je pleurais de plus belle, les mots n'arrivant pas à sortir de ma gorge nouée, tandis que mon fils me tenait toujours les mains. Je ne sais par quel miracle il parvint tout à coup à lire dans mes pensées, décodant le message que j'étais incapable de lui transmettre clairement: «Veux-tu dire que mon père n'est pas ...»

– Ton père biologique, ajoutai-je entre deux sanglots.

Je finis par trouver le courage de lui raconter toute l'histoire, précisant que chaque fois que j'avais voulu lui en parler auparavant, ma bouche se fermait instinctivement, car je pressentais que ce n'était pas encore le moment. Ce fut un énorme soulagement de constater qu'il était suffisamment mature pour accepter la maladie de son père, sans manifester aucun préjugé envers ce dernier. Au contraire, il souhaita pouvoir le connaître, et l'occasion lui en fut offerte peu après.

Cet instant de vérité, que j'avais repoussé avec angoisse pendant des années, s'avéra finalement une merveilleuse expérience évolutive avec mon fils aîné, un moment de communication très intense que je ne pourrai jamais oublier. Nous étions cœur à cœur, les yeux dans les yeux, les mains dans les mains, et je me sentais totalement accueillie. Je me délivrais enfin du lourd secret que je portais depuis vingt-quatre ans, soutenue inconditionnellement par mon fils dont j'avais tant craint la réaction. Pendant toutes ces années, j'avais gardé le silence par amour pour lui, cherchant d'instinct à le protéger. Il était en mesure de le comprendre aujourd'hui et au lieu de m'en vouloir, il me témoignait à son tour beaucoup d'amour.

Ce jour-là, j'ai vraiment compris l'immense pouvoir de l'amour, cette puissante force libératrice qui, lorsqu'elle sous-tend nos actions, nous permet de passer à travers tous les obstacles, aussi insurmontables qu'ils puissent nous paraître.

Jade

L'AMOUR AVEC UN GRAND A

*P*endant des années, j'ai été à la recherche de «l'Amour avec un grand A», auquel je croyais profondément malgré de nombreux échecs amoureux. Je peux dire que j'ai exploré toutes les facettes d'une relation amoureuse, me berçant d'illusions plus souvent qu'autrement, passant de la passion dévastatrice à la déception la plus amère. À cinquante-cinq ans, mon cœur était las de souffrir et je me disais que la meilleure façon de ne plus vivre de peine d'amour était de ne plus «tomber en amour». J'avais une vie sociale et familiale bien remplie et j'essayais de me convaincre que cela suffisait à mon bonheur. Mais la perspective de vieillir sans un amoureux à mes côtés m'attristait beaucoup.

Je suis caissière dans un magasin d'alimentation. À dix-sept heures ce jeudi du mois de mai 2000, c'était l'heure de pointe et les clients défilaient les uns après les autres avec leur commande d'épicerie. Un homme se présenta avec un contenant de sauce à spaghetti, une baguette de pain et une bouteille de vin. Je souris en lui adressant cette remarque somme toute banale : «Ce sera un souper italien ce soir!» La réplique ne se fit pas attendre : «Et ça me ferait plaisir de vous y inviter.»

– Je regrette, mais je travaille jusqu'à neuf heures.

– Je peux revenir à neuf heures...

– Je ne mange pas de spaghettis à cette heure-là !

J'ajoutai, sans réfléchir, ces mots qui allaient changer ma vie : « Ce sera partie remise ! »

Voyant l'intérêt suscité dans le regard de mon client par cette dernière remarque, je la regrettai immédiatement. « Qu'est-ce qui m'a pris de dire cela ! », pensai-je aussitôt, sachant très bien que je n'avais aucune intention de sortir avec lui.

S'empressant de saisir la perche que je lui avais tendue la veille, le même client se présenta devant moi le lendemain, alors que j'étais seule à la caisse *courtoisie*. Il m'invita à venir prendre un café, au cours de la semaine suivante, simplement pour jaser en ami. Je fus touchée par sa façon délicate de m'aborder. Il me vouvoyait et je le trouvai respectueux et charmant, tout en me disant que ce n'était absolument pas mon genre d'homme. Mais à défaut d'amoureux, je venais peut-être de trouver un bon ami et j'acceptai de lui donner mon numéro de téléphone.

Il m'avoua plus tard, que le soir de notre première sortie, alors qu'il m'attendait dans le hall de l'édifice à logements où je demeurais, il s'était senti aussi nerveux et excité qu'un collégien à son premier rendez-vous amoureux. Il m'avait vue en tenue de travail et son cœur s'emballa lorsqu'il me vit maquillée et habillée avec chic. Il me demanda courtoisement de choisir l'endroit où je désirais aller. J'y avais pensé à l'avance et le *Batifol*, situé au Lac Beauport, avait retenu mon attention parmi la centaine de restaurants de la région environnante. Lorsque je lui mentionnai mon choix, il m'adressa un sourire épaté, car il avait le même endroit en tête. Cette coïncidence me parut de bon augure.

Je me sentis tout de suite à l'aise avec Conrad, lui racontant mes déceptions amoureuses, mes attentes non comblées dans la vie, de même que mes problèmes de santé, sans rien lui cacher. Lorsque je rencontrais un homme pour la première fois, j'essayais toujours de me montrer sous mon meilleur jour. Mais comme je n'avais pas l'intention de débuter une nouvelle relation, je lui dressai un portrait de moi des plus négatifs, mettant l'accent sur mes manies de vieille fille et mes nombreuses sautes d'humeur. Rien de ce que je lui disais ne semblait le rebuter. Au contraire, à mesure que la soirée avançait, je voyais de plus en plus d'amour dans ses yeux et ne pouvais comprendre qu'un homme puisse m'aimer autant, sans même me connaître.

Ayant été échaudée à maintes reprises dans le passé, je demeurais sur mes gardes, très sceptique et méfiante. Je ne voulais pas m'engager avec lui et vivre une rupture douloureuse après quelques semaines ou quelques mois de bonheur. J'avais connu la dépendance affective, le besoin de l'attention de l'autre, l'attente interminable auprès du téléphone qui ne sonne pas, la jalousie maladive par peur de perdre l'être aimé, la trahison et la blessure au cœur qui prend tellement de temps à se cicatriser. Je refusais de courir à nouveau ce risque et le lui dis franchement.

Conrad avait vécu lui aussi des moments difficiles dans sa vie et avait entrepris une thérapie avec une psychologue pour faire un grand ménage intérieur. Déterminé à trouver le bonheur, il voyait en moi la femme de sa vie et était prêt à tous les efforts et à toutes les folies pour gagner mon cœur.

Habituée de fréquenter des hommes refusant de s'investir dans une relation à long terme, l'attitude de Conrad me déroutait complètement et j'invoquais différents prétextes pour repousser son amour. Il était plus jeune que moi de quelques années, ce dont je ne voulais plus dans une relation. Il sortait d'une union qui avait duré vingt-trois ans et je me disais qu'il devait d'abord vivre son deuil et apprivoiser la solitude. Par contre, il était le confident rêvé, celui avec qui je me permettais d'être moi-même et de me révéler en toute franchise, me sachant accueillie inconditionnellement.

L'ardeur de mon soupirant se maintenait au fil des mois, tandis que je demeurais sur mes réserves. La Vie me donna alors un coup de main. Je vécus une mise à pied temporaire au moment même où Conrad avait prévu une semaine de vacances dans une station de ski du Vermont avec son fils. En congé forcé, j'acceptai de faire partie du voyage. Vivre au quotidien avec Conrad me permit de prendre conscience du magnifique cadeau que la Vie m'offrait et que je m'obstinais à repousser par crainte d'être déçue plus tard. J'avais désespérément cherché l'Amour toute ma vie et maintenant qu'il se présentait à moi, je refusais de le voir. Peu de temps auparavant, j'avais lu dans un livre que la personne qui nous convient est souvent près de nous, alors que nous ne la voyons pas. Mes yeux s'ouvrirent au cours de cette semaine idyllique et je découvris toute la douceur, la patience et la générosité de cet homme merveilleux qui m'offrait son cœur, sans aucune restriction.

Plus j'apprends à connaître Conrad, plus je réalise qu'il possède toutes les qualités dont j'ai toujours rêvé chez un homme : l'intelligence du cœur, la tendresse, le dynamisme et la joie de vivre. C'est un être rempli de projets avec qui je ne m'ennuie jamais. Je me sens belle et unique lorsque je suis auprès de lui. Ses yeux brillent de bonheur tandis qu'il me répète quotidiennement ces mots que je ne me lasse pas d'entendre : «*Amour*, ai-je oublié aujourd'hui de te dire que je t'aime? Je t'aime passionnément...»

Cet amour rafraîchissant constitue la base d'une relation solide et durable où la communication s'établit très facilement, dans la confiance et le respect mutuel. Nous vivons ensemble depuis quatre belles années. Souhaitant un endroit chaleureux pour abriter notre bonheur grandissant, nous avons cherché et trouvé la perle rare. C'est ainsi que nous sommes devenus heureux propriétaires d'une coquette petite maison sur le bord d'un lac, havre de paix et d'amour correspondant exactement à nos désirs et à nos goûts.

La Vie est parfois surprenante. Dans le passé, j'ai mis beaucoup d'énergie dans la poursuite de relations sans issue, cherchant désespérément l'homme de ma vie, alors que celui qui m'était destiné est venu vers moi tout naturellement, sans effort de ma part. Par son amour sincère, Conrad a su vaincre ma méfiance et gagner mon cœur. J'étais de nature défaitiste, mais son enthousiasme contagieux déteint de plus en plus sur moi et influence positivement ma façon de voir l'avenir. Vieillir ne me fait plus peur, car vieillir à deux, en réalisant nos rêves tout en goûtant pleinement la joie d'être ensemble, est tellement agréable.

Linda Tweddell

2

DES TÉMOIGNAGES
DE FOI

Pour être capable d'aimer, il nous faut la foi, car la foi est l'amour en acte ; aimer en acte n'est autre que servir.

Mère Teresa

UNE GUÉRISON SPONTANÉE

*L*orsque je me suis rendue à l'Institut Hippocrate, près de Palm Beach en Floride, en compagnie de mon mari et de ma mère, j'ignorais à quel point cette aventure serait extraordinaire, autant sur le plan humain que spirituel.

L'Institut Hippocrate est reconnu pour ses cures de désintoxication et ses méthodes de guérison à l'aide de moyens naturels comme le jus d'herbe de blé et l'alimentation vivante composée uniquement de crudités. J'y avais été mandatée par le magazine québécois *Le Lundi* pour un reportage. Je comptais profiter de ce séjour de trois semaines pour effectuer un nettoyage de mon corps en profondeur.

Peu après mon arrivée, je vis sur les murs de la pièce principale différents témoignages de personnes ayant été guéries lors d'un séjour à l'Institut. Je m'attardai à une lettre très touchante d'Heather Mills, mannequin et épouse du chanteur Paul McCartney. Celle-ci racontait qu'elle avait dû subir l'amputation d'une jambe à la suite d'un accident de motocyclette. Pendant plusieurs années, elle avait souffert d'une infection au niveau du moignon qui empêchait la guérison de la plaie et nuisait au port de sa prothèse. Après avoir épuisé tous les moyens que la science mettait à leur disposition, les médecins s'avouaient impuissants à contrer l'infection devenue chronique. En derniers recours, après des années de souffrance, madame Mills avait frappé à la porte de l'Institut Hippocrate.

Grâce à l'application de compresses d'ail et de jus d'herbe de blé, l'infection avait été enrayée, permettant ainsi la cicatrisation complète de la plaie.

Je fus témoin de véritables petits miracles, dès les premiers jours de mon séjour à l'Institut. J'y ai vu deux personnes, ayant des pierres à la vésicule biliaire, qui sont ressorties en pleine forme, emportant avec elles une petite bouteille contenant les vestiges ramollis de leur condition douloureuse. Leurs pierres avaient été éliminées naturellement par les intestins, sans l'aide de la chirurgie, après trois jours de jeûne et de doses importantes d'huile d'olive prises oralement. J'ai aussi vu des gens se déplaçant difficilement avec une canne, aux prises avec des articulations gonflées et douloureuses, qui, après la cure, marchaient sans douleur, librement.

J'assistai à une conférence donnée par Niro Markof, une femme d'origine russe, dont l'allure très noble suscita mon admiration. Celle-ci raconta comment, un beau jour, elle avait appris qu'elle avait le sida, le virus lui ayant été transmis par son fiancé. Après des années de cheminement spirituel, de méditation et de travail en profondeur sur elle-même, la guérison était survenue, miraculeusement. Un jour, elle se promenait sur la plage lorsqu'elle s'était retrouvée baignant dans une lumière grandiose, tandis qu'une voix lui disait : « Tu es guérie. » Les tests médicaux confirmèrent la rémission spontanée, sans qu'aucune explication rationnelle ou scientifique puisse être fournie.

J'étais épatée par ce merveilleux témoignage et par toutes les transformations que je constatais chez les gens séjournant à l'Institut en même temps que moi. Baignant dans cette atmosphère toute spéciale de guérison, ma foi s'en trouvait renforcée. Depuis quelque temps, j'éprouvais une douleur au sein gauche. En palpant mon sein à l'endroit de la douleur, je touchais un petit nodule et cela m'inquiétait de plus en plus. L'énergie de l'endroit me semblait propice aux miracles et je me suis dit que je pouvais sûrement arriver à faire disparaître cette douleur, ou du moins recevoir l'information pertinente pour régler le problème.

Suivant mon intuition, je me suis alors allongée sur le sol de ma chambre, afin de pratiquer une séance de respiration consciente appelée *rebirth*. Je me suis questionnée, en demandant une réponse claire : «Devrais-je m'inquiéter face à cette situation? Ce kyste est-il cancéreux? Que devrais-je faire pour enrayer la douleur?»

Après quelques respirations continues, je vis tout à coup apparaître un film dans ma tête. Tout en demeurant très consciente, je pouvais visionner l'intérieur d'un camp guerrier, en Perse, au 14e siècle. J'aperçus une femme d'une grande beauté qui discutait avec le chef du campement. Celle-ci tenait dans ses bras un nourrisson d'à peine quelques heures. Je me reconnus dans ce nourrisson. Le chef s'adressa alors à cette femme qu'il adorait, lui disant : «Maintenant que tu as un enfant, tu ne peux plus demeurer avec moi au campement, ni me suivre dans toutes ces guerres dangereuses. Tu dois rentrer au palais pour t'occuper de l'enfant.»

Je perçus l'immense désarroi de cette femme qui ne pouvait envisager de quitter l'homme qu'elle aimait passionnément. Au cours de la nuit, devenue folle de chagrin, elle prit un couteau qu'elle planta dans le cœur de son bébé. Au moment où elle posa le geste fatal, je ressentis une douleur fulgurante me transpercer le cœur, vis-à-vis le sein gauche, à l'endroit même où était logé le kyste. En état de choc, j'éclatai en sanglots. Je pleurai pendant un long moment jusqu'à ce que, petit à petit, la douleur se relâche. J'entendis alors une voix apaisante à l'intérieur de moi, me disant : «C'est fini!» Touchant mon sein, je constatai avec stupéfaction que le nodule avait disparu avec la douleur.

Je ne sais pas si j'ai vraiment vécu la vie de ce nourrisson à une époque lointaine ou s'il s'agissait simplement d'une allégorie provenant de mon esprit supérieur pour m'amener à accepter cette guérison, mais le fait est que j'ai bel et bien été guérie ce jour-là, puisque la douleur et le nodule ne sont jamais réapparus par la suite.

J'ai tendance à penser, aujourd'hui, que mes symptômes provenaient d'une mémoire cellulaire et qu'en me remémorant l'événement à l'origine de cette mémoire j'ai pu guérir spontanément. Bien sûr, la prédisposition psychologique dans laquelle je me trouvais, ma foi ravivée par tout ce qui se passait autour de moi, l'énergie spécifique de l'endroit, tous ces éléments furent aussi très importants. Néanmoins, cette expérience vécue à l'Institut Hippocrate m'a prouvé qu'une guérison spontanée est possible et demeure un des moments forts de ma vie que je ne suis pas prête d'oublier.

Anne Létourneau

UN GAGNANT DE LA VIE

*P*ropriétaires de deux commerces, une boucherie et un salon de coiffure, nous courions d'un bord à l'autre, mon mari André et moi, pour tenter de suffire à la tâche. Depuis quelques mois, cambriolages et vandalisme à répétition nous tenaient en alerte et contribuaient à faire monter la pression artérielle d'André. Ce matin du 6 octobre 1981, je pressentis la catastrophe en entendant son cri de détresse au téléphone, alors qu'il se trouvait à la boucherie.

J'appelai immédiatement l'ambulance qui le conduisit à l'hôpital le plus près pour des examens. Quelques jours plus tard, il fut transféré à l'Hôpital de l'Enfant-Jésus de Québec, établissement spécialisé en chirurgie crânienne, où l'on m'apprit qu'il s'agissait d'un anévrisme au cerveau. La situation était urgente, car sa pression artérielle systolique s'élevait au-dessus de 250 mm de mercure. À dix-huit heures, sa pression maxima se maintenant toujours à 200, le chirurgien décida de l'opérer sans plus tarder.

La longue attente commença. Je serrais dans ma main la médaille « miraculeuse » et bénite que j'avais achetée le dimanche précédent au Cap-de-la-Madeleine, demandant à Dieu et à Marie de guider la main du chirurgien. Je suppliais Dieu de me laisser mon époux, lui faisant la promesse que s'Il acquiesçait à ma demande, je ferais tout mon possible pour lui redonner le bonheur, et ce, même s'il devait demeurer alité pour le reste de ses jours. Car je ne pouvais concevoir ma vie sans André.

Mon cœur se serra lorsque je vis arriver le chirurgien vers vingt-deux heures trente. «J'ai opéré l'anévrisme, me dit-il, et j'ai fait tout ce qu'il était possible de faire. Mais j'ai dû gratter très fort et plusieurs cellules du cerveau ont été détruites. Du côté de la jambe, cela pourra aller, mais pour ce qui est de la parole, je doute fort qu'il puisse reparler un jour.»

Il crut bon de me préciser qu'André n'était pas encore hors de danger et qu'il fallait absolument que sa pression artérielle redevienne normale d'ici les trois prochains jours. Il ajouta d'un ton ferme: «Advenant des complications, ne me demandez pas de l'opérer à nouveau, car cela lui serait fatal.»

Deux jours plus tard, la pression artérielle de mon mari était toujours aussi élevée. Il n'avait plus qu'un jour de sursis et je savais à quel point la vie était importante à ses yeux. Je pleurais toute seule dans un coin de la maison, priant pour qu'un miracle se produise. Deux de mes sœurs et mon beau-frère, en visite chez moi, me demandèrent alors ce qu'ils pouvaient faire pour m'aider. Une idée surgit dans ma tête. Mes parents m'avaient inculqué, depuis l'enfance, que le chapelet en famille portait de grands fruits. Nous décidâmes d'unir nos prières, mes sœurs et moi, pendant que mon beau-frère se rendait à l'hôpital porter la médaille miraculeuse sous l'oreiller d'André.

Après avoir récité un chapelet, je me sentis plus calme et je ressentis même de la joie. Je téléphonai à l'hôpital pour avoir des nouvelles de mon époux. L'infirmière m'apprit que sa pression artérielle était descendue à 170. Le miracle s'était produit, il était sauvé! Je réalisai avec reconnaissance que c'est dans les moments les plus sombres qu'il est important de croire en la lumière!

André reprit peu à peu conscience. Il fut bientôt transféré au Centre François-Charon de Québec pour entreprendre de la réadaptation. Selon le pronostic médical, il avait peu de chance de remarcher un jour. À quarante-trois ans, il était confronté à la perte de son intégrité physique: tout le côté droit de son corps était paralysé. Sa jambe bougeait un peu, mais son bras demeurait totalement inerte. De plus, les cellules du langage ayant été détruites dans son cerveau, il était incapable de parler, de lire ou d'écrire. Le découragement s'empara de lui. Il pleurait du matin au soir. Je me rappelai ma promesse faite à Dieu et décidai de l'aider à mettre l'accent sur ce qu'il lui restait de beau et de fonctionnel. Entre autres, il lui restait la VIE, le plus beau cadeau qui lui fut donné...

La bataille pour reprendre une vie normale fut loin d'être facile, tant pour nous que pour nos deux fils, alors âgés de neuf et onze ans. Lorsque je revins à la maison avec leur père en fauteuil roulant, ils savaient que leur vie familiale ne serait plus jamais la même. Je fus complètement bouleversée en voyant mes trois hommes, que j'aimais plus que tout au monde, s'enlacer et pleurer à chaudes larmes. Pendant le séjour d'André à l'hôpital, mon aîné avait trouvé une touchante façon de m'offrir de l'aide. Il avait pris le coffre à outils de son père qu'il avait remisé dans sa chambre en me disant qu'à l'avenir, c'est lui qui réparerait tout ce qui se briserait dans la maison. Quant au cadet, il essayait de distraire son père, le taquinant affectueusement et lui jouant même quelques tours.

Les premières années furent extrêmement pénibles. Je me sentais prisonnière à l'intérieur d'un tunnel noir sans fin, isolée, avec énormément de responsabilités sur les épaules. Je me demandais comment réussir, seule, à éduquer convenablement mes deux enfants, à faire en sorte que mon mari soit heureux, et surtout à gagner le pain quotidien alors que je faisais face à une multitude de problèmes !

Je pleurais beaucoup et je maigris de vingt kilos. M'occuper de mon mari aphasique et hémiplégique me demandait une somme considérable d'énergie. Au début, mes frères et sœurs me fournirent un bon soutien sur le plan physique, moral, et même financier. Car notre situation financière n'était pas très rose et je dus me résoudre à vendre la boucherie à perte. Il me restait le salon de coiffure, mais comme je n'avais pas eu beaucoup de temps à y consacrer au cours des derniers mois, une bonne partie de ma clientèle s'était envolée. J'eus alors l'idée de parcourir l'annuaire téléphonique et je dressai une liste de résidences pour personnes âgées et de communautés religieuses afin d'y offrir mes services. En multipliant les efforts, je réussis bientôt à travailler dans la coiffure trois journées par semaine.

Pendant ce temps, mon mari poursuivait courageusement, trois fois par semaine, de la réadaptation en externe au Centre François-Charon. Avant chaque départ pour le Centre, je le voyais ouvrir, avec sa seule main valide, le tiroir où je conservais mes médailles et en prendre quelques-unes qu'il mettait ensuite dans sa poche. Intriguée par son manège, je finis par apprendre l'usage qu'il faisait de toutes ces médailles.

Lorsqu'il était au Centre, il se dépêchait de terminer son repas du midi pour se rendre auprès de ceux qui pleuraient seuls dans leur chambre. Il leur remettait une médaille et les stimulait à ne pas s'apitoyer sur leur sort, se servant uniquement de sa main gauche pour communiquer avec eux. Il ne les quittait que lorsqu'ils avaient cessé de pleurer. Il en consolait ainsi un par midi. Je réalisai toute la grandeur de cet homme, émerveillée de le voir utiliser le potentiel qui lui restait afin d'aider les êtres en souffrance autour de lui.

Un jour, alors que nous assistions à la messe du dimanche, je l'entendis chanter l'Alléluia d'une voix très puissante, chose qu'il n'avait jamais faite avant sa maladie. Après toutes ces années de vie commune, je découvris, étonnée, que mon mari était doté d'une voix magnifique. Son regard s'illuminait, reflétant tout le bonheur qu'il éprouvait à chanter. Voyant cela, je me mis à fredonner de plus en plus souvent à la maison, puis j'entonnai des cantiques faciles, l'incitant à m'accompagner. À travers la mélodie, il arriva à prononcer des sons, des syllabes et, enfin, quelques mots très francs. Il était tellement rayonnant et heureux lorsqu'il chantait, que j'en fus très émue. Le chant lui permettait de s'exprimer au niveau de son âme, et grâce à cette bouée, à laquelle il s'accrocha avec ferveur, il retrouva enfin la joie de vivre.

Lors d'une autre messe, j'entendis parler pour la première fois de la «Vierge pèlerine», statue de la Vierge que l'on promène partout à travers le monde, en chantant des cantiques. Étant donné que nous ne pouvions plus voyager, mon mari et moi, je décidai de le faire à ma façon, grâce à la Vierge pèlerine. Avec une dizaine de bénévoles, j'organisai, pendant quatre ans, des visites de la Vierge pèlerine dans plus de cent établissements de la région de Québec : centres de santé, centres de réadaptation, foyers d'hébergement, collèges, couvents, églises, etc. André m'accompagnait partout, quelle que soit la distance à parcourir, montant et descendant laborieusement les escaliers à l'aide de sa canne, sans jamais se plaindre de fatigue. Je l'observais à la dérobée lorsqu'il chantait avec le groupe, et constatais que son visage était aussi radieux que le jour de notre mariage.

En visitant les malades hébergés dans différents centres, nous voyions des gens très éprouvés par la maladie, certains n'ayant pas de bras, ni de jambes. Cela nous fit prendre conscience que nous étions privilégiés : il y avait pire que nous. Nous avions aussi découvert, à l'intérieur du groupe accompagnateur, des personnes d'une grande richesse de cœur qui accueillaient André dans sa différence, avec beaucoup d'amour. Après avoir vécu l'éloignement de plusieurs de nos anciens amis, cet amour inconditionnel nous fit un bien énorme.

Je m'impliquai aussi au sein de l'APIA, association pour les personnes intéressées à l'aphasie, heureuse de pouvoir mettre au profit des autres l'expérience que j'avais acquise auprès de mon époux aphasique.

J'ai travaillé pendant vingt-huit ans dans la coiffure, mais un beau jour je me vis contrainte de fermer mon salon, ayant fait une thrombose dans l'œil gauche. J'avais développé, au cours de toutes ces années, des liens très profonds avec plusieurs de mes clientes et leur amitié sincère ainsi que leurs judicieux conseils allaient terriblement me manquer. Mais, heureusement, André était là pour m'encourager. Ses petites attentions me réconfortèrent au plus haut point et m'aidèrent à traverser cette période de deuil.

Je suis maintenant retraitée depuis sept ans et je mène une vie paisible et heureuse en compagnie de mon cher époux. J'apprécie sa présence au quotidien et ne cesse de remercier le bon Dieu de me l'avoir laissé, il y a maintenant plus de vingt ans. Au fil de toutes ces années, nous sommes devenus inséparables et profitons pleinement de chaque moment passé ensemble.

Je réalise aujourd'hui que sa maladie, survenue de façon dramatique, a son côté bénéfique, puisqu'elle m'a permis de découvrir toute la beauté intérieure dont il est doté. Son rayonnement attire d'ailleurs beaucoup de gens vers lui. J'ai vu des personnes éplorées venir spontanément frapper à notre porte, afin de se confier à lui. Étant donné son aphasie, il est incapable de leur parler, mais son regard empreint de compassion suffit à les apaiser.

Cette épreuve a aussi contribué à resserrer les liens avec nos deux fils. Ces petits garçons au grand cœur se sont débrouillés très jeunes pour apprendre tout ce qui concerne l'entretien d'une maison, afin de pouvoir alléger notre tâche. Ils sont aujourd'hui nos plus grands confidents, nos meilleurs amis, sur lesquels nous pouvons toujours compter en cas de besoin.

Notre foi a continué de grandir, malgré les nombreuses difficultés que nous avons dû surmonter. Nous n'avons jamais cessé de croire que la Providence veillait sur nous en tout temps, puisqu'elle plaçait les bonnes personnes sur notre route pour nous aider. Nous sommes fidèles à la messe du dimanche et je me rends chaque soir à l'église, à la demande de mon mari, afin de lui rapporter la communion. Je suis consciente qu'il puise dans ce geste sacré les forces morales et spirituelles qui ont fait de lui un véritable « gagnant de la vie ».

Louisette B. Simard

LE NOËL DU BONHEUR

*L*a vie place souvent le «hasard» sur notre route, mais je pense que c'est Dieu qui s'habille en hasard et qu'Il se sert de nous pour poursuivre son œuvre sur terre. On ne sait jamais ce qu'il adviendra de la petite graine que l'on sème aujourd'hui. Dieu peut s'en servir dans le futur pour produire une œuvre qui dépasse tout ce à quoi nous pouvions nous attendre. Ainsi en est-il du Noël du Bonheur.

Jeune prêtre, j'occupais la fonction de secrétaire pour un évêque et je l'accompagnais dans ses déplacements. Un jour, on lui demanda de venir bénir une chapelle nouvellement annexée à l'Hôpital Saint-Augustin, situé à l'époque à l'Ancienne-Lorette, en banlieue de Québec, dans de vieux baraquements achetés à l'armée canadienne. Des malades chroniques y étaient entassés dans des chambres minuscules. Je fus bouleversé de voir tous ces hommes au visage triste qui attendaient la mort avec résignation. Je me suis alors promis que si j'en avais un jour la chance, j'essaierais de procurer un peu de bonheur à ces pauvres gens.

En 1963, le «hasard» se manifesta sous les traits d'un propriétaire de station de radio de Québec. Celui-ci écrivit au Cardinal Maurice Roy, pour lui demander de trouver un prêtre qui accepterait de donner aux auditeurs un message d'espoir sur les ondes. Je me présentai à la station CJRL le 23 juin, pour apprendre que je commençais le lendemain, jour de la fête nationale québécoise, la Saint-Jean-Baptiste, ce qui me semblait un bon présage.

J'avais toujours souhaité imiter quelqu'un que je connaissais bien, que j'aimais et admirais depuis toujours : Jésus de Nazareth. Celui-ci parcourait la Palestine et enseignait aux gens sous forme de paraboles, en se servant d'exemples de la vie quotidienne comme le lys des champs, les sépulcres blanchis, la brebis égarée et retrouvée, etc. Je me disais que si cette formule lui réussissait, elle devait marcher pour moi aussi.

Mon message, intitulé «Le mot de Monsieur le Bonheur», était diffusé quotidiennement sur les ondes. Je me servais de faits divers que je voyais ici et là dans les journaux ou à la télévision pour rejoindre les gens au niveau de leur conscience. Prenons l'exemple des boîtes de conserve. Il existe une loi qui oblige les fabricants à indiquer sur la boîte tous les ingrédients de son contenu. Imaginez qu'il existe une pareille loi applicable chez les humains et qu'il soit inscrit sur chacun de nous ce qu'il y a à l'intérieur. Plusieurs seraient gênés d'être ainsi dévoilés : les colériques, les ambitieux, les jaloux, les blasphémateurs, etc. Je m'inspirais ainsi d'exemples très concrets de la vie pour amener les gens à réfléchir sur eux-mêmes.

À l'approche de Noël, j'ai suggéré au directeur de la station de faire une collecte sur les ondes pour offrir quelques cadeaux à des malades en hébergement qui ne sortiraient pas à l'extérieur pendant les Fêtes. Je pensais bien sûr aux malades de l'Hôpital Saint-Augustin, à ces individus dont le regard triste m'avait crevé le cœur quelques années auparavant. Un bâtiment moderne avait été construit à Courville, face au fleuve Saint-Laurent. Les malades y étaient logés avec plus de confort, mais la solitude et le désespoir étaient encore bien présents chez plusieurs d'entre eux.

À la fin de chaque émission, je prenais quelques minutes pour solliciter la générosité des auditeurs. La cigarette étant très à la mode, je leur proposais de donner la valeur d'un paquet de cigarettes. La première année, la collecte rapporta quatre cents dollars, une somme considérable pour l'époque. Les dons recueillis furent remis en grande pompe la veille de Noël, lors d'une fête à l'Hôpital Saint-Augustin où je me rendis en compagnie de l'équipe d'annonceurs et du propriétaire de la station radiophonique. Ce dernier offrit un téléviseur qui fut installé dans un des solariums du centre. Je baptisai l'œuvre «Le Noël du Bonheur».

Le scénario se répéta pendant six ans, au profit des malades de l'Hôpital Saint-Augustin. L'événement prenant de plus en plus d'ampleur, des gens d'autres hôpitaux ont commencé à m'écrire pour me dire qu'il y avait aussi des personnes âgées délaissées dans leur établissement qui pourraient bénéficier de la générosité du public. Un premier radiothon eut lieu en 1971, permettant de subventionner d'autres résidences pour malades chroniques et apporter un peu de bonheur aux bénéficiaires à l'occasion de Noël. Il y eut aussi plusieurs téléthons qui furent abolis par la suite, étant donné les coûts de production engendrés. Une partie de l'argent récolté servait à payer la salle, l'équipement et les artistes invités, au lieu d'aller directement aux malades, et je trouvais que c'était un manque de respect pour les donateurs. L'œuvre s'est tout de même poursuivie au fil des ans, et aujourd'hui, quarante-deux ans plus tard, le Noël du Bonheur vient en aide à plus de huit mille deux cents malades répartis dans cent sept centres d'accueil, centres hospitaliers, foyers, pavillons et résidences d'accueil des régions de Québec et Chaudière-Appalaches. Trois mille bénévoles travaillent maintenant à l'année pour ramasser des fonds, à travers diverses activités, afin que ce soit Noël à longueur de semaine pour les malades chroniques. Je n'aurais jamais cru que la petite graine que j'avais semée produirait autant de fruits un jour.

Au cours des ans, je fus témoin de moments très touchants dont le souvenir me bouleverse encore aujourd'hui. Par exemple, je n'oublierai jamais la réaction de Gérard, un orphelin en hébergement dans un centre pour personnes âgées dont nous fêtions les soixante-cinq ans. Une montre-bracelet lui fut remise en cadeau par les bénévoles de Noël du Bonheur. Il pleura à chaudes larmes tout l'après-midi, ne cessant de regarder sa montre comme si c'était le plus beau trésor du monde, alors qu'il s'agissait d'un accessoire bon marché d'à peine dix dollars. À la fin de l'activité, il se dirigea vers l'organisatrice et lui remit la petite montre en disant : «Merci beaucoup, Madame, de me l'avoir prêtée.» Gérard n'avait jamais reçu de cadeau de sa vie et il croyait qu'il s'agissait d'un prêt. Les larmes me montèrent aux yeux en voyant cela.

À un autre moment, je visitais les malades dans leur chambre et vis trois petits cadeaux emballés sur la table de chevet d'une dame âgée. Je crus que c'était des cadeaux d'anniversaire qu'elle avait reçus et je la questionnai : «C'est votre fête aujourd'hui?»

– Mais non, ce sont des cadeaux de Noël que j'ai préparés pour chacun de mes enfants au cas où ils viendraient me voir dans le temps des Fêtes.

Nous étions en février. Le cœur me serra devant la détresse de cette vieille dame paralysée et malade qui attendait la visite de ses enfants depuis deux longs mois. Elle avait mis tout son cœur, se servant péniblement de ses mains aux doigts raidis et déformés, pour fabriquer et envelopper elle-même des petits cadeaux pour ses enfants, dans l'espoir de leur remettre en main propre à Noël. En entendant cela, je dus sortir de la chambre, ne pouvant retenir mes larmes.

Je remercie Dieu tous les jours de m'avoir donné la santé et de m'utiliser pour poursuivre son œuvre à travers moi. J'utilise encore aujourd'hui des sujets d'actualité et j'enregistre des petits messages sur cassettes que je fais parvenir à trois postes de radio : CHRC Québec, Gaspé et New-Carlisle. Ceux-ci diffusent quotidiennement «Le mot de Monsieur le Bonheur».

Plusieurs églises sont désertes aujourd'hui, et je pense que les ondes radiophoniques sont un outil merveilleux pour rejoindre les gens là où ils sont, dans leur automobile, leur bateau ou leur maison. Je me sens inspiré par l'exemple de saint Paul, ce grand prédicateur des temps anciens qui parcourait les chemins en répandant la parole du Christ. S'il vivait à notre époque, je suis persuadé qu'il n'hésiterait pas à utiliser la technologie moderne comme la télévision, la radio et même Internet. Je le vois debout derrière une caméra ou un micro, s'exprimant avec beaucoup d'ardeur afin de propager son message d'amour à travers le monde entier.

L'abbé Jean-Marie Brochu

MA FOI DANS LES MIRACLES

*J*e crois profondément que tout est possible dans la vie, et très jeune je voulais déjà conquérir le monde. Mais je suis aussi persuadée que rien ne se bâtit sans aide et que nous avons besoin les uns des autres pour atteindre le succès. Je trouve donc essentiel de toujours garder les deux pieds sur terre et de demeurer au même niveau que les gens qui travaillent pour moi. Ainsi, l'individu qui nettoie les planchers est aussi important à mes yeux que le vice-président de l'entreprise et il mérite la même considération de ma part.

Quand je vois aujourd'hui mes produits en vente dans les plus grandes parfumeries, partout à travers le monde, je suis reconnaissante envers la vie et me dis que je n'aurais jamais osé rêver que mon commerce puisse prendre une telle envergure. Des miracles ont aussi jalonné ma route.

En 1972, lorsque j'ai décidé de me lancer en affaires, beaucoup de gens ne donnaient pas plus de six mois de vie à mon entreprise. Je dois dire que j'ai eu à faire face à des vagues énormes, et il m'est arrivé de nager sous l'eau en retenant mon souffle, mais je n'ai jamais abandonné. Je pense que ma foi et ma persévérance furent la clé du succès que je connais maintenant.

J'ai vécu un moment particulièrement difficile en août 1990. J'étais en vacances sur la Côte d'Azur avec mes enfants, lorsque mon mari me téléphona de Montréal pour m'aviser qu'un incendie avait ravagé l'entrepôt abritant mon commerce de produits esthétiques. Voulant me protéger avec beaucoup d'amour, il ne me dévoila pas toute l'ampleur des dommages causés par cet incendie. Il me suggéra cependant de revenir à Montréal avec les enfants le plus tôt possible, prétextant qu'il fallait remonter le moral des troupes.

Je fis les bagages et pris le premier avion pour revenir à la maison avec les enfants. Profitant d'une escale à Londres, je téléphonai au bureau de mon mari afin de connaître les derniers développements. La secrétaire, ignorant que mon mari ne m'avait que partiellement renseignée, me dit : «Pauvre madame Watier, c'est épouvantable, je voyais les flammes de chez moi!»

Sachant qu'elle demeurait sur la Rive-Sud de Montréal, alors que l'entrepôt était situé sur l'Île des Sœurs, je me suis dit que l'incendie devait être majeur pour être aperçu de si loin. En arrivant à l'aéroport, j'ai remarqué la consternation des gens qui ne cessaient de me répéter : «Pauvre madame Watier», et j'ai compris que la situation était encore plus sérieuse que je le pensais.

J'étais impatiente de pouvoir constater les dégâts par moi-même, et aussitôt revenue à la maison, j'ai demandé à mon mari de m'amener sans tarder sur les lieux de l'incendie. Je fus désemparée à la vue de ce grand désastre. Le toit et tous les murs de l'entrepôt étaient par terre, sauf ceux de mon bureau qui avaient été miraculeusement épargnés. Il y avait un pan de mur en miroir à l'intérieur de celui-ci et il était impeccable, de même que l'armoire ancienne en bois qui s'y trouvait. Les documents sur mon bureau étaient aussi demeurés tels quels. La seule perte dans cette pièce fut le tapis, endommagé par la fumée et l'eau.

J'étais désemparée et ne voyais plus rien autour de moi. Dans ma tête, un incendie ne pouvait arriver qu'aux autres... il n'était donc pas possible que ça m'arrive à moi! Cela m'était d'autant plus difficile à comprendre puisque, depuis des années, je m'étais placée sous la protection de Mère Marie-Rose, la fondatrice des sœurs des Saints-Noms-de-Jésus-et-Marie. J'avais fait mes études complètes au collège des sœurs Jésus-Marie et j'y avais appris que Mère Marie-Rose était la protectrice des incendies. L'histoire disait même qu'on avait réussi à arrêter un feu de forêt en appliquant sa photographie contre le tronc d'un arbre. On m'avait enseigné qu'elle protégeait des incendies toute personne ayant une photo ou une relique d'elle. J'y croyais profondément et je gardais précieusement, depuis plusieurs années, dans un tiroir à la maison, une relique de Mère Marie-Rose.

Revenue chez moi, je me suis empressée d'aller chercher la petite rose contenant la relique. Je l'ai regardée et j'ai lancé avec colère : «Mère Marie-Rose, comment avez-vous pu laisser faire cela ?»

Je lui en voulais beaucoup, mais ma colère s'est apaisée lorsque j'ai appris, par la suite, que mes produits maîtres avaient été épargnés. Les vernis à ongles dont les contenants fragiles peuvent exploser sous la lumière d'un simple projecteur de télévision étaient demeurés intacts malgré la chaleur intense de l'incendie. Une photo de ma fille avait aussi été épargnée tandis que tout était brûlé autour du cadre. Cela tenait du miracle et je compris que, malgré l'ampleur des dégâts, j'avais effectivement bénéficié de la protection de Mère Marie-Rose qui s'étendait aussi à mes enfants. Cette prise de conscience contribua à renforcer ma foi et je fis humblement des excuses à Mère Marie-Rose pour l'avoir attaquée si injustement par la pensée.

Ma police d'assurance couvrait les meubles, les produits et tout ce qu'il y avait de tangible, mais il fallait tout de même rebâtir le commerce à partir de zéro. Les séquelles de cet incendie furent désastreuses financièrement pour l'entreprise. Nous devions changer l'emballage des produits Lise Watier, mais au moment où nous avons remis sur le marché les produits avec le nouvel emballage, il se produisit une situation que nous n'avions pas prévue. Les magasins nous retournèrent les produits en leur possession pour les échanger contre ceux avec le nouvel emballage, et comme l'incendie nous avait laissés en rupture de stock, il fut impossible de répondre à la demande. Cela porta un dur coup à l'entreprise.

Certains «conseillers» financiers me disaient qu'il valait mieux déclarer faillite, mais j'avais la chair de poule dès que j'entendais ce mot. Mon mari, qui me connaît très bien, se rendait compte que je ne faisais plus partie de la conversation dès que le mot faillite était prononcé. Je me réfugiais à un autre niveau dans ma tête et ne revenais que lorsque ces «conseillers» avaient quitté la pièce.

Même à ces heures particulièrement pénibles, je n'ai jamais envisagé de baisser les bras. J'étais devenue un modèle pour mes consommatrices et je me disais que je n'avais pas le droit de fléchir et de les décevoir. Ce sont toutes ces femmes qui m'ont aidée à garder la tête haute dans l'adversité et à poursuivre avec courage et persévérance afin de permettre à l'entreprise de renaître de ses cendres et d'atteindre la prospérité qu'elle connaît aujourd'hui.

J'ai été témoin par la suite d'un autre miracle qui m'a beaucoup touchée. Au moment où mon père fut victime d'un accident vasculaire cérébral, j'avais pris rendez-vous, par le biais d'une amie d'origine asiatique, avec un médecin chinois de passage à Montréal qui pouvait «supposément» m'aider à perdre, sans aucune diète, les quatre ou cinq kilos que je considérais avoir en trop. Tout ce que je savais de cet homme et de sa méthode était que celle-ci consistait en des transferts d'énergie, mais je voulais absolument le rencontrer.

J'étais donc en état de choc à l'hôpital, au chevet de mon père qui venait de paralyser du côté gauche, lorsque ma secrétaire me téléphona pour me dire que mon amie asiatique ne cessait d'insister pour que je me rende au rendez-vous qu'elle avait pris pour moi avec le médecin chinois. J'étais bouleversée par ce qui venait d'arriver à mon père et mes priorités étaient maintenant tout autres. L'insistance de cette amie, attitude qui me semblait totalement inappropriée dans les circonstances, me mit en colère et je m'empressai de la rappeler pour lui signifier, en termes polis, de me laisser en paix avec son fameux médecin.

Elle me dit alors une simple petite phrase, en anglais, qui se traduit ainsi : « *Ce médecin peut peut-être aider votre père.* » Cette phrase retint immédiatement mon attention et je pensai : « *Et si c'était possible...* » J'expliquai la situation à mon père et lui demandai si je pouvais le laisser seul pendant une heure. Il acquiesça d'un signe de tête. Je me rendis donc à mon rendez-vous. Oubliant complètement la diète, je parlai au médecin de l'état de mon père, lui demandant s'il pouvait l'aider. Il m'assura qu'il pouvait le faire.

À minuit ce soir-là, je suis donc revenue à l'hôpital avec mon amie, son mari, ainsi que le médecin chinois. Comme mon père occupait une chambre privée, nous ne dérangions personne et on nous laissa monter à sa chambre. Mon père reposait dans son lit, le côté gauche paralysé, incapable de bouger son bras et sa jambe gauches. Le médecin s'approcha de papa pour lui faire un transfert d'énergie en imposant ses mains au-dessus de son membre supérieur gauche. Nous assistâmes alors à un véritable miracle. Papa put bouger sa main gauche sans difficulté lorsque le médecin le lui ordonna. Celui-ci me demanda ensuite de faire venir l'infirmière, afin qu'elle puisse consigner dans le dossier de mon père qu'il pouvait maintenant bouger sa main gauche. Nous étions tous très émus, pleurant de joie face à cette guérison qui s'était produite de façon instantanée.

Le lendemain, je demandai à la neurologue qui s'occupait de papa à l'hôpital la permission de revenir avec le médecin chinois. Elle me répondit alors, inquiète : « Vous ne m'en avez jamais parlé. Si vous revenez avec cet homme, je ne suis pas au courant. »

La directive était très claire, mais cela ne m'empêcha pas de ramener le médecin chinois au chevet de papa. Grâce à des transferts d'énergie, papa fut capable de bouger à nouveau ses jambes et de plier ses genoux avec vigueur. Mon père a retrouvé la santé à ce moment, mais il est décédé quelques années plus tard d'un problème cardiaque.

J'ai toujours été persuadée que les gens ne sont jamais placés sur notre route «par hasard», mais pour nous aider, surtout dans les moments difficiles. Cette expérience me l'a prouvé sans l'ombre d'un doute, tout en me convainquant du bien-fondé de la médecine alternative. Inutile de préciser que ma foi dans les miracles en a été renforcée, une fois de plus.

Lise Watier

RESTE PRÈS DE MOI !

*E*n cette journée de printemps, je me sentais très fier, du haut de mes quatre ans, d'accompagner mon père qui allait bûcher sur son lot à bois. Ma mère m'avait vêtu d'une traditionnelle chemise à carreaux et d'un pantalon vert soutenu par de larges bretelles confectionnées avec celles usées de mon père.

Le plus ardu, et surtout le plus dangereux dans le travail du bûcheron, consistait à faire basculer l'arbre au moment de la coupe. Cette opération exigeait une certaine préparation, telle que nettoyer l'espace de coupe, déterminer la direction de la chute, tailler une encoche au bon endroit sur le tronc. Ce jour-là, mon père effectuait ces tâches auprès d'un sapin de bonne taille. Pendant ce temps, je m'étais éloigné pour entamer mon propre chantier.

Mon père entreprit alors la seconde partie de son travail qui consistait à abattre l'arbre. À l'aide de son énorme scie mécanique de l'époque, il avait tronçonné plus de la moitié du résineux, quand celui-ci s'est incliné vers l'arrière. Mon père, un homme costaud, s'arc-bouta derrière le tronc, et fermant les yeux pour mieux se concentrer sur l'effort à fournir, il entreprit de le pousser de toutes ses forces. L'arbre se souleva de sa base et arriva au point de non-retour, avant de basculer vers l'avant. Au même moment, saisi d'effroi, il m'aperçut sur la ligne de chute.

Assis sur la mousse, je manipulais des branches, inconscient du danger. J'entendis un cri et levai la tête, regardant de gauche à droite, mais comme je ne vis rien d'anormal autour, je repris tranquillement mon occupation. Tout à coup, je me sentis soulevé de terre, tressautant au rythme de l'élasticité de mes bretelles. Je volais comme un oiseau, ou plutôt, j'étais porté par un ange.

Je pensai à l'icône fixée au mur de ma chambre. On y voyait un être majestueux, grand comme un homme, dont les ailes dépassaient la hauteur de ses épaules, qui se tenait derrière un petit garçon. «C'est un ange, m'avait dit ma mère. En réalité on ne le voit pas... il est in-vi-si-ble. Tout le monde a son ange qui le conseille et le protège.»

Maintenant, c'était confirmé dans ma tête, j'avais le mien. J'ai voleté comme ça, suspendu dans le vide, savourant ce moment magique... Un fracas me ramena à la réalité. Le sapin s'était affaissé sur le tapis de mousse à l'endroit exact où je me trouvais quelques secondes auparavant. Des branches sèches de l'arbre, dont les épines vibraient encore, avaient pénétré le sol comme des pieux qu'on aurait enfoncés. J'entendais le halètement de l'ange. Tout surpris qu'il puisse respirer aussi fort, je tournai la tête pour mieux le voir. Après quelques jurons, l'ange me déposa sur le sol. «Reste près de moi!» me dit-il alors, voulant me préserver de tout danger à venir. J'étais désormais en sécurité, sous l'aile protectrice de mon père.

Mon père a 84 ans aujourd'hui et je n'ai jamais pu oublier cet épisode de mon enfance. En me remémorant l'incident, il me vient cette réflexion: quand on devient adulte, la magie des anges est moins présente dans notre vie. Mais je me plais à penser que si Dieu existe, ce père qui est aux cieux, il se tient peut-être à mes côtés, invisible comme un ange, et me dit, avec des mots inaudibles: «Reste près de moi!»

Benoît Moreault

UN CLIN D'ŒIL DIVIN

J'ai reçu plusieurs signes dans ma vie qui m'ont prouvé que j'étais constamment soutenue, guidée, protégée. J'ai maintenant la certitude que mes prières sont entendues et que je recevrai une réponse sous une forme ou une autre, au moment opportun.

Il y a vingt ans, mon fils, qui était alors âgé de trois ans, a failli mourir. Je ne me doutais absolument pas du danger qui le menaçait, moi qui suis pourtant très maternelle. Il m'avait mentionné avoir mal à la tête, sans vraiment se plaindre. Sa température oscillait depuis le matin, mais je n'y vis rien d'alarmant, car ses sœurs avaient eu les mêmes symptômes la semaine précédente et elles s'étaient rapidement rétablies. Mon fils me demanda de le bercer, ce que je fis avant de le déposer dans son lit pour sa sieste de l'après-midi. Je lui fis trois petites croix sur le front, en demandant à ma mère et à mes beaux-parents, tous trois décédés, de l'aider à se rétablir.

En sortant de la chambre, je me suis tout à coup sentie dans une sorte d'état second et me suis dirigée comme un automate vers le téléphone pour composer, sans réfléchir, le numéro de l'hôpital. J'ai demandé à parler à mon médecin. J'ignore encore par quel miracle mon appel lui fut acheminé, car il était en conférence et n'aurait normalement pas dû recevoir d'appel à ce moment. Il m'écouta attentivement avant de me conseiller de me rendre à l'hôpital avec mon enfant, le plus rapidement possible.

J'appelai mon mari au travail et retournai ensuite dans la chambre de mon fils où je le trouvai dans un état semi-comateux. Je le pris dans mes bras et constatai avec inquiétude que sa nuque était devenue toute raide. Mon mari arriva et nous filâmes en voiture vers l'hôpital le plus proche. Un médecin nous y attendait. Ce n'est qu'en entendant le mot «méningite» que je réalisai la gravité de la situation. Le médecin me confirma d'ailleurs que si j'avais tardé à réagir et que j'avais laissé mon fils faire sa sieste comme je le prévoyais tout d'abord, il serait sans doute décédé pendant son sommeil.

Son état critique nécessita le transport d'urgence en ambulance vers un autre établissement. J'étais pratiquante, mais j'allais à la messe du dimanche plus par habitude que par conviction. Cependant, je parlais régulièrement à Dieu, à ma manière. Ce jour-là, je me souviens lui avoir dit : « Si c'est aujourd'hui que tu viens chercher mon petit dernier, je ne peux rien y faire, mais tu sais parfaitement que je ne suis pas prête à cela et que tu vas devoir m'aider. »

Curieusement, je n'ai pas pensé demander à Dieu de sauver mon enfant. Je lui parlais avec mon cœur de mère et j'avais la certitude qu'il m'entendait et qu'il me donnerait les forces dont j'avais besoin, quoi qu'il arrive. Je m'abandonnais totalement à lui. C'est à ce moment-là que j'ai compris que ma foi était beaucoup plus profonde que je l'avais cru jusqu'ici.

Heureusement, mon fils a très bien réagi aux antibiotiques et s'est rétabli sans conserver aucune des séquelles associées à cette maladie. J'ai éprouvé beaucoup de reconnaissance, convaincue que j'avais été profondément guidée afin de poser rapidement les bons gestes permettant de sauver la vie de mon enfant.

Je vécus une seconde expérience très marquante, mais d'un tout autre ordre, deux ans plus tard. J'avais réussi à vaincre ma dépendance envers la cigarette qui durait depuis des années et voilà qu'un dimanche, après huit mois d'abstinence, je recommençai à fumer. Je m'en voulais beaucoup de cette re-chute, consciente de l'effet nocif de la nicotine sur ma santé et je dis à Dieu : « Je ne veux pas me détruire ainsi ! Aide-moi à me débarrasser de cette dépendance et à me reconstruire. » Inca-pable de me passer de cigarettes avec ma seule volonté, je ne cessai de demander l'intervention divine dans la semaine qui suivit, en ayant la foi que j'obtiendrais du secours. Mais j'étais à cent lieues d'imaginer ce qui allait se passer.

Sept jours plus tard, je vécus ce que je qualifiai par la suite de « désintoxication instantanée ». J'eus soudainement l'im-pression que mon crâne s'ouvrait, sous la poussée d'une énergie de lumière très puissante. Celle-ci se propageait à l'intérieur de mon corps, tout en demeurant bien tangible sur le dessus de mon crâne. Je n'éprouvais aucune douleur, mais je dus m'as-seoir, mes jambes ne pouvant plus me supporter. Un fort goût de nicotine me monta alors à la bouche. Sans comprendre exactement ce qui se passait, je savais intuitivement qu'il s'agissait de la réponse à ma prière, que mon corps subissait une profonde désintoxication et que je n'aurais plus jamais le goût de fumer par la suite. Ce phénomène étrange se poursuivit pendant une heure et me permit effectivement de me guérir à tout jamais de ma dépendance à la cigarette.

J'étais encore une fois reconnaissante de la tournure des événements, mais je me questionnais sur ce que j'avais vécu ce jour-là. Il fallut m'armer de patience, car je n'obtins la réponse que plusieurs années plus tard, au moment d'une visite au Sanctuaire du Cap-de-la-Madeleine.

Assise à l'écart, je regardais la petite colombe en argent que je venais tout juste d'acheter et j'eus l'idée de la placer sur une reproduction de la terre, une breloque en or que je portais au cou, suspendue à une chaîne. Un inconnu s'approcha alors de moi et me remit une petite croix argentée en me disant de la placer sur la terre avec ma colombe. Il m'expliqua ensuite qu'il avait vécu une expérience extraordinaire, la descente de l'Esprit-Saint en lui. Et il se mit à me décrire exactement ce que j'avais moi-même vécu au moment de ma désintoxication à la nicotine : la pression sur le crâne, l'infusion d'énergie, etc. Je l'écoutais, médusée. Je compris qu'il s'agissait d'un clin d'œil de Dieu, et que cet étranger, que je ne devais d'ailleurs jamais revoir, avait été placé sur mon chemin simplement pour m'apporter la réponse que je cherchais.

La coïncidence était très significative à mes yeux : au moment où je posais une colombe – symbole de l'Esprit-Saint – sur la terre, j'apprenais que l'expérience que j'avais vécue des années plus tôt, et qui m'intriguait toujours, consistait en une infusion... de l'énergie de l'Esprit-Saint.

Ma foi a été renforcée ce jour-là. Les moyens utilisés par Dieu pour nous rejoindre et nous apporter des réponses sont très variés et peuvent parfois nous surprendre. Mais mon expérience m'a appris qu'il suffit d'être à l'écoute pour pouvoir capter, au moment où l'on s'y attend le moins, de merveilleux clins d'œil divins.

Anne-Marie Jomphe

3

DES TÉMOIGNAGES
DE COURAGE

Ne t'autorise pas le découragement face à un échec, dès lors que tu as fait de ton mieux. Refuse aussi la gloire lorsque tu réussis. Rétrocède tout à Dieu avec la plus profonde gratitude.

Mère Teresa

RENCONTRE INATTENDUE
AVEC LA BEAUTÉ INTÉRIEURE

J'avais à peine vingt-deux ans et me trouvais à Londres pour un contrat d'un an, me remettant péniblement d'une violente agression sexuelle subie en Italie, quelques mois plus tôt. Comme mon agresseur était issu d'une famille riche et bien en vue, l'histoire avait fait la manchette des journaux italiens. Je me sentais avilie, blessée au plus profond de ma chair et de mon âme. Un soir, je rencontrai un couple revenant de l'Inde et fus impressionnée par le calme qui régnait au fond de leurs yeux. Je décidai sur-le-champ que c'était là que je devais aller pour redonner un sens à ma vie.

Quelques jours plus tard, je quittais mon emploi de conseillère en orientation et prenais la route de l'Inde avec un simple sac à dos comme bagage, le reste de mes affaires ayant été acheminé à Montréal, chez ma mère. À Katmandou, je rencontrai un moine qui me conseilla d'aller à Pondichéry, village situé plus au sud, où se trouvait l'ashram de Sri Aurobindo.

Je pris l'avion et descendis à Calcutta, afin de pouvoir prendre la route de Pondichéry. Ce fut un véritable choc de voir tous ces pauvres mendiants lépreux dans les rues de la ville, le visage et les membres rongés par la maladie. Le cœur me faisait terriblement mal devant tant de misère humaine.

J'arrivai donc à Pondichéry, poussiéreuse et complètement épuisée. La terre rouge et sablonneuse de l'endroit collait à ma peau, devenue moite sous la chaleur torride. Le consulat français se trouvait tout près de l'ashram et, passant devant, j'eus tout à coup une faiblesse et m'écrasai sur le sol. Nicole Durieux, épouse du consul, descendait les marches de l'ambassade à ce moment précis et elle prit immédiatement les choses en main. Elle m'invita à pénétrer à l'intérieur de sa demeure toute fraîche et me fit allonger, plaçant doucement sa main sur mon front fiévreux. Je ressentis toute la bonté de cette femme et sus intuitivement que je me trouvais au bon endroit.

Elle m'offrit de prendre un bain de mousse dans une immense baignoire en cuivre et je me crus au paradis, moi qui n'avais eu droit qu'à des douches froides depuis six mois sur la route. Un thé me fut servi en après-midi, suivi d'un repas du soir des plus délicieux. Une chambre confortable fut aussi mise à ma disposition pour me permettre de me reposer avant d'aller à l'ashram. Je crus rêver, face à tant d'attentions, dispensées avec la générosité du cœur.

Femme remarquable, Nicole avait monté une entreprise d'œuvres d'art fabriquées par les lépreux. Elle dessinait des scènes indiennes représentant Krishna, Bouddha, etc., sur une toile que les lépreux tissaient habilement à l'aide des doigts qui leur restaient. L'argent généré par la vente des toiles servait à subventionner le dispensaire, administré par un comité de lépreux. Grâce à ce travail revalorisant pour eux, ces pauvres gens retrouvaient leur estime de soi et leur dignité.

Nicole m'invitait régulièrement à l'accompagner, lors de ses visites au village des lépreux, que les petites Sœurs françaises arrivaient à garder propre, malgré la promiscuité de l'endroit et la syphilis qui y sévissait. Je fus frappée dès ma première visite par le sourire éclatant de ces gens au visage dévasté, contrastant avec ceux des mendiants de Calcutta qui m'avaient paru si malheureux. Ces gens souffraient de lèpre sèche, non purulente, et n'étaient donc pas contagieux. Tout comme Nicole, je me permettais de les serrer chaleureusement dans mes bras.

Mais ce fut Marius qui me procura ma plus belle leçon de vie. La première fois que j'entrai dans sa petite case, il me salua joyeusement en disant : « Bonjour madame Monica aux beaux yeux bleus. Bienvenue chez moi ! » Je fus d'autant plus surprise de cet accueil que je le savais aveugle. J'eus l'impression de renaître au contact de cette voix chaleureuse, comme si j'émergeais soudainement de cette mer d'eau profonde dans laquelle j'avais plongé l'année auparavant, afin d'échapper à mon agresseur italien.

Le visage de Marius était horrible, avec ses grands yeux vides qui formaient deux taches blanches au-dessus d'un nez à demi rongé, mais il dégageait un tel amour et un tel respect humain que je fus profondément bouleversée. Mon agresseur italien, un homme beau, riche et très bien perçu socialement, m'avait méprisée et violentée parce que je repoussais ses avances ; alors que cet homme devant moi, laid, pauvre et mis au ban de la société, arrivait, par son attitude aimante, à me faire sentir digne d'amour et de respect. La beauté superficielle se trouva instantanément confrontée à la beauté intérieure, dans ma tête. Je reçus le témoignage d'amour à l'état pur de Marius comme un véritable cadeau qui amena un baume sur la blessure de mon âme.

Mon séjour en Inde me permit un retour vers l'essentiel et une forme d'apaisement intérieur, mais je ne fus pas guérie pour autant. J'avais pardonné à mon agresseur, toutefois une partie de moi éprouvait de la colère et mes relations avec les hommes furent conflictuelles pendant des années. Je continuai mes voyages pour me retrouver, un jour, fiancée à un journaliste mexicain excessivement jaloux. Je réalisai alors que j'attirais dans ma vie des hommes violents et dominateurs et qu'il fallait que je me sorte de ce pattern.

En 1980, j'animais une émission de radio à CKMF à Montréal, *Vivre en harmonie avec Monica*, émission axée sur les médecines douces, et je suis allée faire un reportage à l'Institut Esalen, en Californie. Conquise par la philosophie de ce centre, j'y suis retournée cinq hivers consécutifs pour des ateliers de guérison, ateliers qui me permirent de surmonter le traumatisme sexuel que j'avais vécu et de retrouver le goût de vivre en tant que femme. J'ai ensuite découvert l'aspect thérapeutique de l'alimentation saine et après un séjour bénéfique à l'Institut Hippocrate, situé à West Palm Beach, en Floride, je suis devenue porte-parole, au Québec, de cet établissement de santé reconnu sur le plan international pour les bienfaits de son alimentation végétarienne vivante et ses cures à base de jus d'herbe de blé, ainsi que ses ateliers sur la guérison des émotions.

Je vois aujourd'hui tout le côté positif des expériences de ma vie. Je me suis placée en situation de tomber dans la noirceur afin d'en arriver à choisir de vivre autre chose. Ce choix que j'ai fait de délaisser l'ombre pour aller vers la lumière m'a permis d'avancer sur un chemin de guérison spirituelle.

Au cours des dernières années, j'ai donné des centaines de conférences sur la compassion envers soi, qui nous amène à développer celle envers les autres. J'éprouve de plus en plus de compassion et de tolérance envers les gens, ce qui me permet d'être davantage aidante pour les clients que je reçois en thérapie. En cultivant la paix intérieure, je peux la transmettre autour de moi et guérir, peu à peu, jour après jour.

Monica Péloquin

DEVENIR UN VRAI CHAMPION

*N*é à Lac-Beauport, j'ai été élevé tout près d'un centre de ski. Tellement près que lorsque nous dévalions les pentes, mes frères et moi, ma mère n'avait qu'à clignoter les lumières de la maison pour nous prévenir qu'il était temps de rentrer pour le souper.

Mon statut d'aîné, à l'intérieur d'une famille de sept enfants, m'a amené à développer très jeune mon autonomie et à travailler fort pour obtenir ce que je voulais, sans compter sur les autres. Je ne me suis intéressé au ski acrobatique qu'à l'âge de dix-huit ans, mais j'ai tout de suite adoré ce sport. Mes efforts et ma détermination m'ont permis de gagner le championnat de la Coupe du monde, en ski acrobatique, à deux reprises en trois ans. Ce sport extrême me permettait de me dépasser, de donner le meilleur de moi-même. Je m'y adonnais avec passion, pour ma propre satisfaction personnelle, car même au sommet de la gloire, alors que les gens se plaisaient à répéter que j'étais le meilleur au monde, je n'ai jamais cherché à impressionner qui que ce soit.

Je suis ensuite devenu entraîneur de l'équipe canadienne de ski acrobatique. Ce samedi 9 décembre 1989, je me trouvais à la station d'hiver de Tignes, dans les Alpes, pour participer à l'entraînement des jeunes athlètes canadiens. À la fin de la journée, j'ai décidé de pratiquer une autre de mes activités favorites, un saut en parapente, sorte de parachute rectangulaire qui permet de voler en s'élançant du haut d'une montagne. C'est sur le versant du mont Palafour, d'une altitude de deux mille six cents mètres, qu'est survenu le terrible accident qui transforma complètement ma vie.

Je ne me souviens pas de l'accident ni des jours qui suivirent. Je suis revenu à la vie dans un hôpital de Québec, après quatre-vingt-dix jours de coma profond. J'avais subi un traumatisme crânien important et le médecin crut bon de me dresser un tableau très sombre de ce qui m'attendait. Selon son pronostic, je devrais faire face à de nombreuses pertes. Je ne serais plus autonome dans les activités de la vie quotidienne et je ne pourrais pas parler, remarcher ou conduire une voiture. Il ajouta que je perdrais mon travail et je risquais aussi de perdre ma conjointe et mes amis.

Je n'avais jamais écouté ce que les autres me disaient, préférant agir selon mon idée. Au lieu de m'abattre, ce discours me motiva à foncer afin de prouver à ce médecin que, malgré toute sa science et son expertise, il avait tort. J'ai été forcé de mettre mon ego de côté, pour accepter de vivre les étapes d'un jeune enfant au tout début de sa vie. À trente ans, j'ai dû réapprendre à marcher, à me laver et à m'habiller seul, de même qu'à parler et à écrire de la main gauche alors que j'étais droitier. À force de patience, j'ai même fini par obtenir mon permis de conduire sans restriction. J'ai réussi à déjouer tous les pronostics médicaux en redevenant très fonctionnel. Je ne prends plus aucune médication aujourd'hui, et je m'en porte très bien.

J'ai une attention sélective qui m'oblige à ne faire qu'une chose à la fois. Par exemple, je ne peux pas parler, boire avec une paille, ou manger en même temps que je marche. Je ne peux pas non plus conduire en parlant, ou en utilisant un téléphone cellulaire. Ce n'est pas une lacune à mes yeux, car cela m'oblige à vivre chaque moment en étant concentré sur ce qui se passe là, maintenant. Cela me permet, dans une conversation, de donner toute mon attention à l'autre au lieu de penser, comme la plupart des gens, à ce que je vais faire après.

Je pense que cet accident fut la meilleure chose qui pouvait m'arriver, car le coma m'a «réveillé», m'a permis de m'ouvrir aux autres. Avant mon accident, j'étais un être solitaire qui ne parlait pas beaucoup. Je vivais dans ma bulle, replié sur moi-même et je ne m'intéressais pas aux autres. Mes valeurs ont radicalement changé. J'ai mis le passé de côté pour aller de l'avant et je suis devenu un tout autre homme. D'ailleurs, les gens ne me parlent plus de mes prouesses sportives, mais du courage et de la détermination qu'il m'a fallu pour sortir vainqueur de cette grande épreuve de la vie.

À l'école, j'ai appris à lire, écrire et compter, mais c'est le sport qui m'a permis d'acquérir les outils nécessaires, c'est-à-dire la discipline, la force et la persévérance pour passer à travers les difficultés. Tout comme je le faisais dans le sport, je me suis fixé un objectif qui était de retrouver mon autonomie, et j'ai gravi les échelons un à un pour y parvenir. Il y a trois expressions que j'ai rayées de mon vocabulaire pour pouvoir atteindre le sommet: «Je ne suis pas capable...», «Je vais essayer...», et «J'aurais dû...».

J'utilise maintenant ce que j'ai appris à travers cette épreuve afin d'aider les autres et les encourager à ne pas lâcher, quels que soient les obstacles. C'est dans ce but que j'ai accepté de me rendre au Centre François-Charon, un centre de réadaptation de la région de Québec, pour parler devant des gens qui avaient subi eux aussi un traumatisme crânien. Je fus surpris lorsque des thérapeutes m'abordèrent à la fin de l'échange m'invitant à revenir donner une conférence, mais cette fois, pour le personnel. J'ai été client à ce Centre pendant ma réadaptation et les thérapeutes m'ont beaucoup aidé. Quel bonheur ce fut pour moi, ce jour-là, de pouvoir leur être utile à mon tour.

J'ai aussi donné des conférences dans différentes entreprises, ainsi qu'à des finissants de la faculté de médecine de l'Université Laval à Québec. Je m'adapte à chaque groupe que je rencontre, leur parlant de mon expérience avec mon cœur et je sais que je touche les gens profondément.

Je ne regrette pas cet accident qui m'est arrivé sur le versant du mont Palafour et qui a complètement changé ma vie. Il fallait que je subisse «une bonne débarque», pour devenir un tout autre homme. Auparavant, j'étais taciturne et renfermé et je n'aurais jamais pensé que la communication deviendrait aussi importante pour moi, ni que j'éprouverais autant de plaisir et de satisfaction personnelle à donner des conférences de motivation pour aider les autres, pour les amener à comprendre que chacun est responsable de ses épreuves.

Je me dis aujourd'hui que ce n'est pas ce qui nous arrive qui est le plus important, mais «ce qu'on fait avec!» C'est là qu'on peut devenir un vrai champion.

Yves La Roche

PROFESSEUR DE BONHEUR

J'ai planifié énormément de choses dans ma vie, mais avec le recul, je réalise que cela ne s'est jamais passé comme je l'avais prévu. Passionné de nature, j'explorais différents systèmes politiques et sociaux, avec l'impression, chaque fois, d'avoir découvert «le bon système», celui qui allait m'aider moi-même, et sauver la planète tout entière. J'ai donc eu la vérité socialiste, la vérité marxiste, la vérité syndicaliste, etc.

Je souhaitais tellement partager ma joie de la découverte avec les autres que j'ai basculé dans le fanatisme. Je travaillais très fort pour convaincre les gens, les amener à partager «ma vérité du moment», jusqu'à ce que je comprenne que ma vérité était tellement changeante, que cela ne pouvait pas être la vérité absolue. C'était plutôt un système de croyances qui se transformait au fil de ma propre évolution.

J'ai fait treize années d'études universitaires, accumulant des diplômes dans huit universités sur quatre continents différents. Pourtant, malgré les mentions honorifiques, les nombreuses bourses et tous les diplômes qui m'ont été décernés, je considère aujourd'hui que ma véritable formation est une «maîtrise en déprime» et «un doctorat en rejet de soi».

Pendant dix ans, j'ai vécu de façon cyclique de fortes périodes de déprime qui m'amenaient à décrocher de la vie, à tenter désespérément de fuir la profonde tristesse que je portais en moi. Par exemple, pendant que je faisais une maîtrise dans une université de Toronto, je me suis enfui à Edmonton. Je conduisais un taxi la nuit et je me réfugiais dans un sous-sol pour dormir le jour, à l'abri du regard des autres. Couvert de honte et submergé de désespoir après la faillite de ma première entreprise, j'ai aussi dormi tout un hiver dans ma voiture à Toronto. D'autres périodes de décrochage m'ont amené à fréquenter l'Armée du Salut à Winnipeg, à bénéficier de prestations d'aide sociale à Vancouver et à devenir un sans-abri à San Francisco.

Avec le recul, je sais que, malgré tout ce que j'ai vécu, je n'ai jamais cessé d'être guidé, d'être porté par des bras aimants, comme l'homme dans la parabole *Les Pas dans le sable*, dont la lecture m'émeut toujours beaucoup. Cette parabole relate l'histoire d'un homme qui visionne sa vie et constate, en voyant deux traces de pas dans le sable, qu'il était accompagné tout au long de celle-ci. Curieusement, il n'y a qu'une seule trace de pas aux heures les plus sombres. Il en déduit qu'il a été abandonné jusqu'à ce qu'il comprenne que, au contraire, il était porté avec amour dans les moments difficiles.

Il est clair pour moi que ce long parcours à travers la souffrance faisait inévitablement partie de ma croissance personnelle. Mon âme avait choisi de vivre ces expériences qui avaient pour but de m'apprendre la compassion. Même si je suis devenu un formateur et un conférencier qui jouit d'une excellente réputation sur le plan international, je ne me sens pas différent des plus démunis de la terre, des sans-abri, car j'ai moi-même expérimenté ce qu'ils vivent : la souffrance, la honte, le rejet de soi et des autres.

On dit parfois qu'il y a deux façons d'évoluer spirituellement : en étant révolutionnaire ou «évolutionnaire». Je fais partie de cette deuxième catégorie. Je n'ai pas été transformé subitement comme saint Paul sur le chemin de Damas. Mon cheminement évolutif a été graduel, tissé à même le fil des compréhensions que chaque expérience douloureuse me permettait de faire.

On dit aussi qu'on enseigne ce que l'on a besoin d'apprendre, alors je suis devenu «professeur de bonheur». Je suis très conscient qu'en enseignant aux autres l'art d'être heureux, je me parle d'abord à moi-même et le plus formidable est que je suis payé pour cela.

Selon ma philosophie, il y a plusieurs niveaux de spiritualité. Je peux me prendre pour une victime, je peux réaliser que je crée ma propre vérité ou je peux m'abandonner en toute confiance à une *Volonté* plus grande que la mienne. C'est cette voie que je choisis de plus en plus et qui m'amène à comprendre que *la vie est ce qui se passe, pendant que l'on planifie autre chose.*

Fletcher Peacock

VENDRE L'AMOUR DE SOI
AUX GENS

J'ai une nature de chef et suis très avant-gardiste dans mes idées. J'ai toujours foncé droit devant moi pour atteindre mes buts, assumant courageusement les conséquences de mes actes et refusant de baisser les bras devant l'adversité.

En 1988, le Centre Écoute Ton Corps était situé sur la rue Saint-Denis à Montréal, occupant une surface de mille pieds carrés. Avec plus de vingt-cinq employées, je m'y sentais à l'étroit et décidai de déménager rue Papineau, dans des locaux quatre fois plus grands, mais aussi quatre fois plus chers. Je signai un bail de cinq ans et il me fallut m'endetter pour payer tous les frais entourant ce réaménagement.

Au même moment, une campagne médiatique dirigée contre les groupes de croissance personnelle sévissait dans tout le Québec et affectait tous les mouvements de développement personnel.

Des attaques personnelles furent dirigées contre moi. Comme je n'avais pas de diplôme universitaire en psychologie, on me reprocha de n'être qu'une «petite vendeuse Tupperware». J'avais travaillé pendant seize ans dans la vente, entre autres pour la compagnie Tupperware, me classant numéro un au Canada et aux États-Unis en tant que gérante d'équipe. J'aimais beaucoup vendre un produit que je considérais utile, mais j'étais encore plus passionnée par le fait d'aider les personnes dans mon équipe à se dépasser et découvrir tout leur potentiel ; c'est sans doute ce qui avait contribué au succès phénoménal que j'avais connu dans le domaine. Je m'appliquais maintenant à vendre le concept de l'amour de soi aux gens.

Cette campagne de démolition fit beaucoup de tort au Centre Écoute Ton Corps. Il me fallait trouver rapidement une solution si je ne voulais pas être contrainte de mettre la clé dans la porte. Je réunis mes employées pour leur proposer le plan d'action suivant :

– Il va falloir que nous fassions du porte-à-porte pour trouver de nouveaux clients, si vous voulez conserver votre emploi.

– T'es pas sérieuse, Lise ! C'est toi la vendeuse, pas nous. Nous n'avons aucune expérience dans ce domaine.

– Comment pensez-vous que j'ai créé Écoute Ton Corps ? En restant assise chez moi pour attendre les gens ? Nous avons un service extraordinaire à offrir et il faut que les gens le connaissent pour pouvoir en bénéficier.

Très réticentes au début, mes employées acceptèrent finalement de relever le défi avec moi. Me basant sur mon expérience dans la vente, j'ai préparé un formulaire avec quelques questions de sondage à poser aux gens. Nous parcourions les rues de Montréal deux matinées par semaine, en équipe de deux – chacune prenant un côté de la rue – et allions sonner aux portes des gens. Nous leur parlions de croissance personnelle, de la philosophie d'Écoute Ton Corps, et les invitions à une soirée d'information gratuite à notre Centre de la rue Papineau.

Je crois plus que tout à la loi du retour, à savoir que si je fais les efforts qu'il faut, je finirai par en récolter les fruits un jour ou l'autre, peu importe si les gens commencent par refuser ce que je leur propose. La loi de la moyenne fait aussi partie de cette loi du retour. Par exemple, une personne sur deux acceptait d'assister à une soirée d'information et lors de ces réunions, une personne sur quatre s'inscrivait à des ateliers. Nous avions donc des buts précis pour atteindre nos objectifs.

Je motivais mes employées en leur faisant prendre conscience qu'il s'agissait d'une expérience merveilleuse pour les amener à dépasser leurs peurs devant l'inconnu. Je ne cessais de leur dire :

– Voyons, dites-moi ce qui peut vous arriver de si terrible ? Les gens de l'autre côté de la porte ne vous mangeront pas ! Le pire qui peut se produire est qu'ils vous ferment la porte au nez. Vous n'aurez alors qu'à vous dire qu'ils viennent de dire non à un service qui pourrait beaucoup les aider et que c'est bien malheureux pour eux. Une autre porte s'ouvrira plus loin, n'ayez crainte.

J'avais atteint des sommets dans la vente parce que je savais que je rendais service aux gens avec les produits que je leur offrais. C'est ce que j'enseignais à mon équipe, et cette attitude, alliée aux efforts et à la persévérance, nous a permis de rebâtir notre clientèle, petit à petit.

Le Centre Écoute Ton Corps existe maintenant depuis vingt et un ans et sa philosophie, basée sur le fait que le corps humain est un outil extraordinaire pour apprendre à se connaître, tant au plan émotionnel et mental que spirituel, est diffusée dans vingt-trois pays. Mes livres écrits en français ont atteint le chiffre de vente d'un million d'exemplaires, sans compter ceux qui sont traduits en neuf autres langues.

Je pense que l'Univers a agi comme un chef d'orchestre pour m'amener là où j'avais à œuvrer. Enfant, j'étais très travaillante. Avide d'apprendre, je réussissais très bien à l'école. J'ai eu la chance d'être enseignée par des religieuses qui stimulèrent mon esprit de synthèse et m'encouragèrent à me questionner et à utiliser ma créativité pour trouver des réponses. Lorsque j'ai commencé à travailler dans un bureau d'avocat, à l'âge de quinze ans, celui-ci me faisait entièrement confiance et me déléguait beaucoup de tâches administratives, ce qui m'a permis de connaître l'aspect légal du monde des affaires. Les techniques de vente et de gestion d'employés, acquises au sein des trois compagnies internationales pour lesquelles j'ai travaillé, m'ont été fort utiles lorsque vint le temps de développer ma propre entreprise.

Avec le recul, je me rends compte que toutes les expériences de ma vie me dirigeaient sans contredit vers la création d'Écoute Ton Corps. Par exemple, je suis toujours aussi convaincue que si je n'avais pas développé mes qualités de persévérance, de courage et de foi, Écoute ton Corps n'existerait plus ou n'aurait pu continuer à prospérer après vingt et un ans d'existence.

À travers cette grande aventure d'enseigner l'amour et la connaissance de soi, j'ai appris à m'aimer et aimer les autres de façon véritable. Au début, j'étais beaucoup plus contrôlante et j'imposais mes idées avec rigidité. Je voulais *trop* aider les gens autour de moi et j'utilisais la méthode forte pour les amener à penser comme moi. Je me souviens d'avoir dit à des clientes, pour les forcer à réagir :

– Pourquoi prends-tu des cours de croissance personnelle si tu résistes à tout ce qu'on te dit ? Si tu refuses de changer, reste chez toi !

Heureusement, je suis plus sage aujourd'hui et j'interviens sous forme de questions pour amener les gens à trouver eux-mêmes leurs réponses.

Cela m'a pris des années à lâcher prise, à accepter que chacun est libre de cheminer à son propre rythme. Enseigner l'amour de soi m'a amenée à devenir plus flexible et plus douce envers moi-même et envers les autres. J'utilise maintenant ma force de caractère non pas pour contrôler les autres, mais pour comprendre ce qui se passe à l'intérieur de moi et aller vers mon propre «je veux», avec respect et amour pour moi-même.

Lise Bourbeau

MIEUX VAUT PERDRE
QUELQUES MINUTES DANS LA VIE...

*L*orsque j'étais étudiante à l'université, j'effectuais plusieurs petits boulots en dehors de mes heures de cours, ce qui me permettait d'être autonome financièrement. Très déterminée de nature, il était primordial pour moi d'accomplir toutes les tâches qui m'étaient confiées à la perfection, peu importe qu'il s'agisse de travaux ménagers, de livraisons en moto, de séances de photos de mode, ou encore d'animation auprès des enfants.

Je me faisais aussi un devoir de toujours arriver à l'heure précise au travail. Au moment où je me préparais à sonner à la porte de mon employeur, je levais automatiquement le bras pour regarder ma montre à mon poignet et constatais chaque fois, avec satisfaction, que j'arrivais exactement à l'heure prévue.

Il était quinze heures ce jour-là et mon prochain cours ne débutait qu'à dix-huit heures trente. Je fonçais donc à 100 km/heure sur ma moto, traversant Paris pour me rendre au bureau d'exportation de produits pharmaceutiques où j'avais été engagée pour classer des dossiers. La route était parsemée de feux de circulation, mais je savais, par expérience, que ceux-ci seraient tous verts au moment de mon passage.

Je roulais donc à vive allure lorsque je vis une grosse Citroën bleue traverser perpendiculairement la rue devant moi, à un croisement. Bizarrement, la voiture s'arrêta en plein milieu du carrefour, me barrant la route à environ cent mètres de distance. «Merde! ai-je hurlé en appliquant brusquement les freins.»

Je sentis mes bras devenir complètement tétanisés, la peau hérissée par un grand frisson. Pendant quelques secondes interminables, j'ai cru que j'allais percuter la Citroën et exploser en mille miettes dans les airs. Mais les muscles de mes bras se sont soudainement relâchés et j'ai pu bouger le guidon et contourner la voiture de justesse par l'avant.

Je me suis arrêtée près du premier trottoir et j'ai enlevé mon casque en pleurant. J'ai tout de suite compris que mes pleurs n'étaient pas dus à un état de choc à la suite du terrible accident que je venais d'éviter *in extremis* et qui aurait pu être mortel, ou à tout le moins avoir des conséquences très graves sur ma vie. Je savais intuitivement que mon bouleversement provenait plutôt d'un stress antérieur.

Aujourd'hui, vingt ans plus tard, je me souviens encore parfaitement du dialogue qui se déroula dans ma tête, à ce moment précis. Une voix intérieure se manifesta spontanément, posant des questions sur un ton directif, auxquelles je me sentis forcée de répondre. «Pourquoi es-tu aussi stressée?» me dit la voix.

– Parce que je suis pressée! répondis-je avec rigidité.

– Pourquoi es-tu pressée? reprit la voix.

– Parce qu'il faut que j'arrive à l'heure! ajoutais-je avec impatience.

– Pourquoi faut-il que tu arrives à l'heure?

– Euh! Parce que... c'est un gage de compétence..., ça prouve que l'on peut me faire confiance et aussi que je suis efficace!

C'est alors que je découvris avec stupéfaction que le fait d'arriver à l'heure était lié, dans mon esprit, à ces trois qualités : compétence, confiance et efficacité. Le dialogue intérieur se poursuivit : «Peux-tu être compétente et efficace et obtenir la confiance des gens pour qui tu travailles sans être nécessairement toujours à l'heure, à la seconde près?»

Cette fois, au lieu d'une réponse verbale, ce fut une image qui se présenta dans ma tête. Je vis mon professeur de physiologie qui voyageait lui aussi en moto pour se rendre au travail. Il était habituellement à l'heure, mais certains jours, lorsqu'il pleuvait par exemple, il lui arrivait d'être dix minutes en retard à la faculté. Je réalisai que le fait que cet homme soit de temps à autre en retard ne changeait pas l'opinion que j'avais de lui : à mes yeux, il demeurait un professeur compétent dans son domaine qui dispensait son enseignement avec efficacité et je lui accordais toute ma confiance.

Ce fut toute une révélation pour moi. Grâce à cette série de questions et réponses intérieures, je venais de découvrir que l'on pouvait conserver ces trois autres qualités, qui s'avéraient primordiales pour moi, même si l'on était de temps à autre en retard. Cette prise de conscience me causa instantanément un immense soulagement et mon degré d'anxiété chuta de façon vertigineuse.

Puis je fis calmement le bilan de la situation : j'avais été engagée dans ce bureau quelques années auparavant par un couple avec qui je m'entendais très bien. Je choisissais moi-même mon horaire et mes journées de travail en fonction de ma disponibilité et j'étais payée à l'heure. Je classais des documents devenus inutiles, alors personne n'était tributaire de mon travail et je pouvais prendre le temps qui me convenait pour l'effectuer. Logiquement, je n'avais donc aucune raison d'être aussi stressée par le facteur temps.

Je réalisai que je m'imposais depuis des années une discipline très stricte concernant le temps, et ce, pour répondre à une croyance profondément enfouie en moi, dont je n'avais jamais eu conscience auparavant. Ce n'est d'ailleurs que beaucoup plus tard que j'ai découvert l'origine de cette croyance. Elle provenait de ma relation avec ma mère, à l'adolescence. À l'époque, maman me donnait la permission d'aller à des soirées avec mes amis, mais à la condition que je rentre à une heure précise. Il était important pour moi de ne pas décevoir ma mère, une femme responsable qui faisait preuve d'une grande ouverture d'esprit dans l'éducation qu'elle me donnait.

Alors si maman me demandait de revenir à minuit, par exemple, je respectais scrupuleusement la consigne. Je vérifiais d'ailleurs ma montre avant d'ouvrir la porte d'entrée pour constater qu'il était précisément minuit. C'est ainsi que j'ai pu gagner rapidement sa confiance et acquérir de plus en plus d'indépendance. Mais j'ai pris cette règle tellement à la lettre que je m'en suis fait une véritable loi intérieure, au point où j'étais prête à mourir pour arriver à l'heure.

Ce jour-là, j'ai appris une grande leçon qui a changé radicalement ma relation avec le temps. J'ai cessé de pleurer, j'ai enfourché ma moto et je suis repartie plus doucement, le cœur léger, en me disant : « Mieux vaut perdre quelques minutes dans la vie..., que la vie en quelques minutes. »

J'enseigne maintenant aux gens, à travers les séminaires que je donne, à devenir leur propre thérapeute en développant ce genre de dialogue interne. Cette méthode s'avère efficace pour dépister les croyances profondes qui sont à l'origine de comportements parfois très rigides et nuisibles, afin de pouvoir les éliminer. Il en résulte un apaisement des émotions, une diminution de l'anxiété, de la culpabilité, de la tristesse ou de la peur.

Isabelle Nazare-Aga

UNE LEÇON DE COURAGE

*L*orsque nous apprîmes, Jean-Pierre et moi, que notre mignonne petite fille de cinq ans devait subir l'ablation de ses amygdales, nous ne nous doutions pas qu'une chirurgie aussi banale aurait des répercussions sur sa vie entière et celle de notre famille.

Jacinthe, notre bébé, avait toujours été en bonne santé, mais Jean-Pierre fit remarquer au médecin qu'elle saignait davantage que son frère et sa sœur lorsqu'elle perdait une dent. On lui fit alors un prélèvement sanguin qui révéla un temps de saignement allongé. Notre fille était atteinte de la maladie de Von Willebrand et elle risquait de faire une hémorragie suite à la chirurgie. Elle reçut donc une première transfusion sanguine préventive et une d'une deuxième en postopératoire. Elle fit un peu de fièvre au sortir de l'hôpital, mais tout finit par rentrer dans l'ordre.

Quatre ans plus tard, en 1988, le scandale du sang contaminé par le VIH défraya la chronique des médias. L'hôpital nous avisa peu après que notre enfant devait subir des tests de dépistage du VIH, car étant donné les transfusions qu'elle avait reçues à l'époque de sa chirurgie, elle avait 8 % de chances d'être contaminée. La nouvelle nous fit l'effet d'une bombe à retardement, mais nous nous sommes accrochés à l'espoir que nous en serions quittes pour une bonne frousse. Bien sûr, notre petite fille était souvent fiévreuse et attrapait régulièrement des rhumes depuis son opération, mais ses problèmes de santé avaient été mineurs jusqu'ici.

La bombe explosa véritablement lorsqu'on nous apprit que Jacinthe, qui avait alors neuf ans, était effectivement séropositive. En état de choc, nous refusions de croire que cela fut possible. Il y avait sûrement une erreur : les médecins devaient confondre le virus du sida avec celui de la grippe ! Jean-Pierre était complètement démoli et incapable de fonctionner au travail. Il pleurait beaucoup, tandis que je retenais ma peine à l'intérieur de moi. Une telle situation me paraissait terriblement injuste et je me sentais totalement impuissante.

Le VIH venait tout juste d'être découvert à l'époque et le mot «sida» faisait frissonner de peur, même les plus courageux. On ignorait le mode exact de transmission de la maladie. Beaucoup de rumeurs affolantes circulaient à ce sujet et les porteurs du virus étaient pointés du doigt. Le médecin crut bon de nous recommander la plus grande discrétion face à l'état de santé de notre fille. Seuls nos proches furent mis au courant, mais personne n'osait plus nous visiter par la suite. Nous nous sentions mis à l'écart, rejetés, alors que nous avions un si grand besoin de soutien moral pour traverser cette épouvantable épreuve.

En 1990, Jacinthe était en dernière année de primaire. Devant ses absences de plus en plus fréquentes, et voyant qu'elle maigrissait et dépérissait, Annette, sa titulaire, nous téléphona pour s'informer de sa santé. Jean-Pierre lui expliqua la situation sans rien lui cacher. Elle en fut bouleversée, mais fit preuve de beaucoup d'empathie. Je pris ensuite rendez-vous avec la directrice, une femme sympathique que je connaissais bien, pour l'informer de la condition de Jacinthe et l'autoriser à en parler aux professeurs de l'école. Ce jour-là, nous pleurâmes dans les bras l'une de l'autre.

Comme nous demeurons dans une petite ville, les rumeurs ne tardèrent pas à circuler. Jacinthe dut affronter de nombreux préjugés, auxquels elle fit face courageusement. Que de fois elle fut dévisagée dans les centres commerciaux, ou observée des pieds à la tête avec un regard dédaigneux, comme une véritable pestiférée. La situation empira au secondaire, lorsqu'elle se retrouva à la polyvalente, parmi des centaines d'autres élèves. Certains la pointaient du doigt, d'autres s'éloignaient à son approche ou encore raillaient en chuchotant à son intention : « Sida, sida... ».

Marie-Claude, sa sœur aînée, revint un jour de l'école polyvalente en pleurant. Elle se trouvait à la bibliothèque, lorsqu'un professeur, qui était au courant de la situation, s'était écrié devant tous les élèves présents, « Ta sœur va mourir du sida ! » Marie-Claude devint elle aussi pointée du doigt. Elle craignait de perdre tous ses amis et ne voulait plus fréquenter l'école. La rage monta en moi devant une telle étroitesse d'esprit de la part d'un adulte et je me rendis de ce pas à la polyvalente, afin d'y rencontrer le directeur.

Cet homme compatissant et profondément humain décida de s'impliquer personnellement pour faire cesser le harcèlement dont Jacinthe et sa sœur étaient l'objet. Il réunit les professeurs pour leur parler de ce que vivait Jacinthe et les incita à sensibiliser les jeunes de l'école en ce qui concerne le VIH et la maladie du sida. Ce qui fut fait, entre autres, lors du cours d'enseignement religieux. Les élèves devinrent ensuite plus respectueux vis-à-vis la détermination de ce petit bout de femme qui tenait à poursuivre ses études secondaires, malgré la somme considérable d'efforts que cela lui demandait. De fréquentes hospitalisations l'obligeaient à prendre les bouchées doubles pour rattraper les cours manqués, mais elle ne s'en plaignait jamais, ne voulant surtout pas être prise en pitié.

Les études nous semblaient peu importantes comparées à la santé de notre fille. Nous souhaitions avant tout qu'elle soit heureuse et qu'elle puisse terminer ses jours paisiblement. Mais Jacinthe voyait les choses autrement, et malgré les obstacles, elle n'a jamais renoncé à atteindre son objectif, qui était d'obtenir son diplôme d'études secondaires, sachant que c'était le seul diplôme qu'elle aurait la chance d'avoir dans sa vie.

Ses efforts furent couronnés de succès en juin 1995. Lors de la remise du diplôme, toute menue et affaiblie par la maladie, mais le cœur battant et la mine réjouie, elle se dirigea péniblement à l'avant de la salle pour recevoir le sien. C'est alors que tous les gens présents se levèrent spontanément pour lui offrir une très belle ovation, rendant hommage à son grand courage et à sa détermination exceptionnelle. Cet élan de solidarité humaine me fit chaud au cœur. Pour la première fois, je ressentais que nous n'étions plus seuls dans notre épreuve, qu'une grande famille humaine nous soutenait.

Une autre belle surprise lui fut réservée lors du bal des finissants. Au cours de cette mémorable soirée, le directeur de l'école lui remit fièrement le «Trophée Jacinthe Plamondon», sculpture symbolisant un personnage qui tend le bras pour porter bien haut la banderole de la détermination, magnifique œuvre exécutée par Michel Trépanier, son professeur d'art plastique. Afin que l'exemple de Jacinthe demeure vivant au fil des ans, ce trophée méritoire, reproduit sur une plaque, allait désormais être remis chaque année à un élève de l'école qui avait réussi à obtenir son diplôme en dépit de nombreuses difficultés.

Jacinthe avait atteint son but, suscitant l'admiration de tous les gens qui en furent témoins. Elle nous a quittés l'âme en paix, l'année de ses dix-huit ans. Elle est toujours présente dans mon cœur et je lui adresse chaque matin mon premier bonjour de la journée, en lui rappelant que je l'aime toujours et que je suis très fière d'elle. Je sais aujourd'hui qu'elle n'a pas vécu ni souffert en vain, car son courage et sa détermination servent encore de modèle pour ceux qui l'ont côtoyée.

Les dernières années de sa vie, lorsqu'elle devait être hospitalisée, je me demandais chaque fois si ce serait la dernière. J'arrivais à l'accepter en me rappelant ces paroles de l'Évangile: «Vous n'êtes que de passage sur terre...» et «Vos enfants vous sont prêtés, ils ne vous appartiennent pas.» Malgré toute la peine que j'ai éprouvée, je serai toujours reconnaissante pour ce merveilleux prêt qui nous fut accordé pendant dix-huit ans, à Jean-Pierre et à moi.

L'épreuve nous a rapprochés de nos deux autres enfants, Martin et Marie-Claude, et nous a rendus plus sensibles et plus ouverts aux problèmes des autres. Nous avons compris à quel point le soutien des gens autour de nous peut être réconfortant, particulièrement lorsque la vie nous secoue durement.

L'expérience vécue avec notre fille séropositive nous a aussi enseigné l'importance de mettre de côté les peurs et les préjugés, et d'aller vers ceux qui sont éprouvés ou qui sont marginaux, afin de leur offrir ce dont ils ont le plus besoin : le soutien moral, la compassion et, surtout, l'amitié sincère exempte de jugement.

Marthe F. Plamondon

LE SECRET DU BONHEUR

*L*e jour où je me suis rendue dans un hôpital de la région de Québec pour accoucher de ma fille aînée, le médecin qui m'a accueillie m'a reproché avec colère de ne pas parler le français, alors que je demeurais dans un pays francophone. J'ai éclaté en sanglots. Un autre médecin s'est présenté peu de temps après et m'a parlé plus gentiment, en anglais cette fois. Nous étions deux jours avant Noël et mon mari avait une surcharge de travail qui le retenait à son commerce. Seule dans ma chambre d'hôpital, je regardais le plafond blafard tandis que les larmes inondaient mon visage. Je me sentais terriblement loin de ma famille et de mon pays d'origine, me demandant amèrement pourquoi j'avais choisi de les quitter.

Orpheline à neuf ans, j'ai été élevée, avec mon frère et ma sœur aînés, par mon oncle, Dr Dy Narong Rith, qui exerce la profession de secrétaire d'État pour le ministère de la Santé, au Cambodge. Je vivais dans une résidence confortable à Phnom Penh, la capitale du pays. Des domestiques étaient à mon service depuis mon tout jeune âge et c'est ainsi qu'à vingt-quatre ans, j'ignorais tout des tâches ménagères. Je n'avais jamais préparé de repas, ni fait la lessive ou le ménage et je m'en souciais d'ailleurs peu. J'avais reçu une très bonne éducation et je travaillais comme secrétaire au «Human National Development Program», emploi gouvernemental bien rémunéré.

117

Ma vie aurait pu se dérouler ainsi sans difficulté jusqu'à la fin de mes jours, si ce n'est qu'en 1994, j'ai accepté la demande en mariage d'un homme que je connaissais à peine, l'ayant seulement rencontré à trois reprises, lors d'une visite au Québec. Il était lui aussi originaire du Cambodge, mais il provenait d'une famille plus modeste qui vivait dans un village situé près de la frontière de la Thaïlande. Il avait émigré au Canada vingt ans plus tôt, et était devenu propriétaire d'une pâtisserie dans la ville de Québec.

Mon oncle s'est tout d'abord opposé à ce mariage, prétextant qu'une union avec un homme de statut social inférieur allait abaisser le rang de notre famille. J'avais été élevée selon les valeurs traditionnelles de mon pays où les femmes doivent se montrer soumises face à l'autorité masculine, surtout lorsqu'il s'agit de leurs aînés. Mais je tins tête à mon oncle, refusant catégoriquement de l'écouter, malgré tout le respect que je lui devais. J'insistai tellement pour me marier, qu'il finit par céder à ma demande, au bout d'un an.

Un mois avant la cérémonie, mon futur époux quitta le Québec pour venir me retrouver. Je ne l'avais pas revu depuis plus d'un an et le doute s'empara de moi à l'idée de m'engager pour la vie avec un homme que je connaissais très peu et qui, même s'il me semblait doux et attentionné, pouvait se révéler totalement différent après notre mariage. Soudain, je n'eus plus aucune certitude. En état de panique, j'avisai mon oncle que j'avais changé d'idée et que je ne voulais plus me marier. Il en fut très contrarié, car les cinq cents invitations étaient déjà postées et un tel affront ne s'était jamais fait dans notre famille. Ne pouvant tolérer une attitude aussi cavalière de ma part, il m'obligea à respecter mes engagements. J'eus droit à un mariage somptueux, célébré avec tout le cérémonial traditionnel de mon pays, mais je n'étais pas vraiment heureuse, tenaillée intérieurement par la peur de ce que l'avenir me réservait.

Je souhaitais demeurer dans mon pays, où je me sentais en sécurité parmi les miens. Cependant, sur l'insistance de mon oncle, j'acceptai de suivre mon nouvel époux au Québec, mais seulement après lui avoir fait promettre de revenir au Cambodge dès qu'il aurait vendu sa pâtisserie et liquidé ses autres affaires. Très naïve en ce qui concerne les méthodes anticonception-nelles, je me retrouvai enceinte trois mois plus tard. Mon mari ne semblait pas pressé de vendre son commerce et, maintenant que j'allais avoir un enfant, je ne voulais pas retourner au Cambodge toute seule. J'avais souffert d'avoir perdu mes parents très jeune et il était important pour moi que mon enfant soit élevé avec un père. Je me vis donc contrainte de modifier mon visa de touriste pour celui de résidente permanente.

Enceinte, vivant dans un pays dont je ne parlais pas la langue, j'étais confinée à la maison, tandis que mon époux travaillait de longues heures à sa pâtisserie. Brisée par la solitude et l'ennui, je téléphonais presque tous les jours au Cambodge, en larmes. Ma sœur tentait de m'encourager du mieux qu'elle pouvait. Mon mari m'aimait sincèrement et comprenait mon chagrin. Il payait des centaines de dollars de frais d'interurbain à la fin de chaque mois, sans me faire de reproches. Me comportant en bébé gâté, je refusais aussi de participer aux tâches ménagères qu'il effectuait seul, sans se plaindre. Il demeurait toujours très patient avec moi, en dépit de mes nombreuses sautes d'humeur.

Ma petite fille avait un an lorsque je décidai de me prendre en main. Je ne manquais de rien à la maison, mais je voulais à tout prix retourner sur le marché du travail et devenir autonome en gagnant mon propre argent. Le problème majeur était que je ne parlais toujours pas le français. Nous parlions cambodgien à la maison, mon mari et moi, et j'avais appris l'anglais dans mon pays, étant jeune.

Prenant mon courage à deux mains, je suis allée voir le propriétaire d'un restaurant de la rue Grande Allée à Québec, lui-même d'origine cambodgienne, et lui ai demandé de m'embaucher à l'essai comme serveuse. Je n'avais jamais pensé faire ce genre de travail un jour et la première fois que je m'approchai de la table d'un client pour prendre sa commande, je me sentis tellement mal que je crus que j'allais m'évanouir. Je manquais de confiance en moi et j'étais angoissée à l'idée de ne pas comprendre ce qu'il me demanderait, mais au contraire, tout se passa très bien. Au début, je disais aux gens que je ne parlais pas beaucoup leur langue et que je ne pouvais pas leur expliquer le menu. Tous se montraient compréhensifs. J'ai pu garder cet emploi et, petit à petit, après beaucoup d'efforts et de stress, j'en suis arrivée à bien me débrouiller en français.

Mais j'étais toujours aussi malheureuse, car je ne cessais de comparer ma vie à celle que j'avais vécue au Cambodge, à l'abri de tout souci. Un jour, j'ai regardé l'assiette de nourriture que je devais apporter à un client et j'ai fondu en larmes. J'avais été élevée comme une véritable princesse, avec des gens autour de moi pour satisfaire mes moindres besoins. Je ne pouvais m'empêcher de penser que si j'étais demeurée dans mon pays, ma vie aurait été plus facile. Je me ferais servir mes repas par des domestiques, au lieu d'en servir aux autres.

C'est alors que le dernier conseil de mon oncle, avant mon départ du Cambodge, m'est revenu à l'esprit. Celui-ci me connaissait bien et il se doutait des nombreuses difficultés d'adaptation auxquelles j'aurais à faire face dans un pays étranger. Désirant me préserver, il m'avait donné ce précieux conseil: «Ma fille, ne regarde jamais en arrière, car tu vas tomber et souffrir inutilement. Pour trouver le bonheur, tu dois désormais regarder vers l'avant.»

Ces sages paroles prirent soudainement tout leur sens. Je séchai mes larmes, comprenant que ce n'était pas la situation dans laquelle je me trouvais qui me rendait si malheureuse, mais mon attitude face à celle-ci. Je refusais de couper le cordon ombilical qui me rattachait au passé. Il était temps que je cesse de me comporter en petite fille gâtée et que je devienne une adulte responsable de sa vie et de ses choix. Mon oncle m'avait révélé le secret du bonheur et c'était maintenant à moi d'agir si je voulais y accéder.

À partir de ce jour, j'ai complètement changé d'attitude. Je me suis détournée du passé, pour apprécier ma vie au présent, m'appliquant à bâtir un avenir heureux avec mon mari, dans notre pays d'adoption. Nous sommes aujourd'hui propriétaires d'un petit restaurant, au Cap-de-la-Madeleine, que nous exploitons ensemble, tout en élevant les deux merveilleuses petites filles issues de notre union.

Malgré les hauts et les bas de la vie, je ne regrette plus du tout d'avoir quitté le Cambodge en 1996. Si j'étais demeurée dans mon milieu familial douillet et protecteur, je me serais évité bien des larmes et des difficultés, mais je ne serais sans doute pas devenue la femme autonome et sûre d'elle-même que je suis maintenant.

Il est parfois difficile d'assumer les choix que l'on fait. Mais lorsque l'on fait confiance au destin, et que l'on décide de regarder vers l'avant au lieu de s'accrocher inutilement au passé, on se rend compte que tous les chemins peuvent mener au bonheur.

Bory Meas

UN RENDEZ-VOUS
AVEC LE DESTIN

À vingt ans, je menais une vie d'adulte depuis plusieurs années déjà. J'avais commencé à travailler dès l'âge de douze ans, passant mes vacances d'été sur une ferme, à cueillir des fraises. À quinze ans, je travaillais dans un centre de ski de fond toutes les fins de semaine et les congés scolaires. L'argent occupait une place centrale dans ma vie et je me créais de plus en plus de besoins et d'obligations financières. À dix-huit ans, j'avais des paiements d'automobile et d'assurances à effectuer mensuellement, en plus des réparations, de toutes les dépenses imprévues et de mes sorties qui me coûtaient énormément cher. Je ne m'étais jamais autorisée une seule journée de vacances, que je voyais comme une perte de temps et, surtout, d'argent.

Mais voilà qu'en décembre 2002, je décidai de m'octroyer deux jours de vacances et planifiai un voyage à Lac-Etchemin avec mon fiancé, dans le but de rendre visite à sa famille. Nous sommes partis en voiture le 27 décembre, par une belle matinée ensoleillée. J'étais assise à l'arrière de l'automobile avec mon fiancé, tandis que sa sœur se trouvait à l'avant avec son copain qui conduisait prudemment. Nous avions une heure et quart de trajet à faire pour arriver à destination et la bonne humeur était au rendez-vous. Après avoir bifurqué sur une petite route de campagne, nous nous sommes arrêtés à une intersection.

Aucun de nous ne se rappelait s'il fallait tourner à gauche ou à droite et nous avons finalement opté pour la droite, tandis que le camion remorque qui nous suivait tourna vers la gauche. Les dés furent jetés à partir de ce moment et, par la suite, je me suis souvent demandé si nous aurions pu déjouer le destin en choisissant la direction opposée.

Nous avons fait demi-tour quelques kilomètres plus loin, réalisant notre erreur. Nous avons bientôt rejoint le camion remorque qui roulait lentement devant nous. La route s'élargissant, il se rangea sur la voie de gauche, face à une usine située à droite. Comme son conducteur ne signalait aucune intention, nous avons cru qu'il s'était déplacé pour nous laisser le passage, mais au moment d'effectuer le dépassement sur la droite, l'énorme poids lourd tourna vers la droite pour entrer dans la cour de l'usine. Voyant que nous foncions dans le mastodonte à 90 km/heure, j'eus le réflexe d'agripper de toutes mes forces l'appui-tête du conducteur devant moi, tentant d'amortir le choc. Nous nous sommes ensuite retrouvés dans le fossé, tandis que la cabine du camion atterrissait lourdement sur le toit de la voiture. J'étais coincée sur mon siège, avec la tête de mon fiancé appuyée sur mes genoux. Le conducteur de notre voiture réussit à sortir le premier du véhicule et je pus distinguer son visage horrifié à travers la vitre teintée. La passagère à l'avant parvint elle aussi à sortir indemne.

Un liquide verdâtre, provenant de la cabine du camion, s'écoula soudainement sur mes cuisses. Il s'agissait du liquide de refroidissement du moteur et le jet brûlant provoqua une vive douleur. Une mare s'accumula sous mes fesses et la douleur devint intolérable. Je ne pouvais bouger, car chaque mouvement projetait le liquide vers le visage de mon ami. Je me mis à hurler, souhaitant mourir à cet instant précis pour échapper à toute cette souffrance. On réussit à m'extirper de l'automobile, avec mon copain, en brisant la fenêtre. Dès que je fus dehors, la douleur disparut complètement. J'essayai de grimper pour sortir du fossé et tendis la main vers les curieux amassés le long de la route. Mais personne ne fit un geste pour m'aider et je dus

123

gravir la pente à quatre pattes, glissant dans la neige. Je me sentis alors terriblement seule.

On nous fit entrer dans l'usine pour attendre l'arrivée des ambulanciers. J'étais la plus atteinte des quatre, mon fiancé n'ayant que des coupures mineures. On me conseilla d'enlever mes vêtements couverts de produit chimique et de prendre une douche sous la surveillance d'une dame, afin de nettoyer mon corps de toute cette substance nocive. Je me sentis très mal en voyant l'état de mes cuisses brûlées aux deuxième et troisième degrés. Je craignis de m'évanouir sous la douche et fis un pas à l'extérieur de la cabine. Au moment où j'allais m'effondrer, une main me saisit fermement par le menton, me retenant debout, tandis qu'une voix masculine chaleureuse me disait : « Bonjour ! On est arrivé et on va s'occuper de vous ! Comment allez-vous ? » Je n'étais plus seule, car je venais de rencontrer un ange.

On m'installa sur la civière d'ambulance pour me conduire au centre hospitalier le plus près. J'étais en état de choc physique et psychologique et ne réalisais pas la gravité de mon état. Je croyais que j'allais ressortir de l'hôpital le jour même, avec de beaux pansements, et que ma vie reprendrait son cours normal dans quelques jours. Je rejoignis ma mère au téléphone vers la fin de l'après-midi et une heure plus tard, ma famille au grand complet accourait à mon chevet. J'avais toujours été en conflit avec ma sœur aînée et je fus très émue par sa réaction. Elle pleurait lorsqu'elle me prit dans ses bras pour me dire à quel point elle avait eu peur de me perdre. Je versais moi aussi des larmes abondantes, touchée par cet amour que je ne soupçonnais pas chez ma grande sœur. Elle me rendit visite aussi souvent qu'elle le put, au cours de mon hospitalisation, et me téléphona tous les jours pour m'encourager.

Le premier soir, je reçus une visite inattendue. L'ambulancier qui m'avait secourue plus tôt dans la journée vint prendre de mes nouvelles. Il n'en revenait pas que nous soyons sortis vivants tous les quatre du tas de ferraille qu'il avait aperçu en arrivant sur les lieux de l'accident. Il s'agissait d'un véritable miracle selon lui. Il m'amena à prendre conscience de la chance que j'avais d'être en vie et sa présence ce soir-là m'apporta un grand réconfort. Trois jours plus tard, il me téléphona pour me dire qu'il passerait me voir à la fin de son travail, vers minuit, pour me souhaiter la bonne année. Nous étions le 31 décembre et j'étais triste à l'idée de débuter la nouvelle année toute seule dans un lit d'hôpital, alors que tout le monde fêtait en famille. Il arriva quelques secondes avant minuit et nous pûmes faire le décompte ensemble avant de nous souhaiter mutuellement une bonne année 2003.

Mon ambulancier m'avait apporté un cadeau particulier. Il avait découpé l'écusson sur la chemise déchirée de l'un de ses coéquipiers et me le remit en disant : «Quand tu te sentiras découragée, tu regarderas cet insigne qui te rappellera à quel point tu as été forte de sortir vivante de cet accident.» Ce cadeau m'a effectivement beaucoup aidée. Dans les moments de grande souffrance, je me concentrais sur mon écusson fétiche et la douleur s'atténuait comme par magie. Mon ange protecteur continua de me visiter régulièrement, m'encourageant, me stimulant et m'aidant à reprendre confiance en mes capacités. Je me sentais en sécurité en sa présence et j'attendais toujours sa venue avec impatience.

La fille hyperactive que j'étais, qui avait habituellement trente heures de cours par semaine, qui en consacrait trente autres au travail et qui ne prenait jamais le temps de s'arrêter, se retrouvait en congé forcé, épuisée et souffrante, incapable de marcher ou même de demeurer assise. Cette situation me révoltait et je me demandais sans cesse :«Pourquoi cela m'est-il arrivé à moi?» Mais je ne tardai pas à comprendre qu'il n'y avait pas de hasard dans cette situation et que j'avais eu ce jour-là un rendez-vous très précis avec le destin, que je n'aurais pas pu manquer. En effet, j'avais planifié moi-même ce voyage, je fus la seule personne blessée physiquement, et la leçon à tirer de cette tragédie s'adressait à moi, personnellement.

Je compris que je courais de plus en plus vite vers ma perte, cherchant à m'étourdir à travers de multiples activités. Seul un aussi grand choc pouvait me forcer à m'arrêter et prendre conscience que la vie est trop précieuse pour la traverser ainsi à toute vitesse. Cet accident transforma radicalement ma vie, me permettant d'effectuer un virage important à plusieurs niveaux. Je me suis rapprochée de ma famille et surtout de ma sœur, comprenant la chance que j'avais d'être aimée et bien entourée. J'ai aussi réalisé que je faisais fausse route avec mon fiancé, pour finir par rompre la relation, malgré la peine que cela nous causait à tous les deux. Après plusieurs mois de convalescence, j'ai repris mes études au cégep, à l'automne suivant, changeant complètement de programme. Récemment, je me suis trouvé un emploi dans mon domaine d'étude qui me procure beaucoup de satisfaction. Pour couronner le tout, ma relation d'amitié avec mon ange ambulancier s'est transformée en une belle relation amoureuse qui me rend très heureuse.

L'argent n'occupe plus la place centrale de ma vie, comme auparavant. J'ai dû faire le deuil de mon ancienne vie d'hyperactive et je m'en porte beaucoup mieux. J'apprends maintenant à respecter mes besoins et mes limites et à «ne rien faire» par moments, ce qui est tout à fait nouveau pour moi. J'essaie simplement de profiter en douceur du moment présent, m'accordant davantage de repos. Je me considère privilégiée d'avoir reçu cette leçon de vie à l'âge de vingt ans et je continue de croire profondément au destin qui nous procure inévitablement les expériences nécessaires à notre évolution.

Amélie Tanguay

4

DES TÉMOIGNAGES
D'ESPOIR

Nous sommes tous capables de faire le bien comme le mal. Nous ne sommes pas nés mauvais : tout le monde a quelque chose de bon en soi. Les uns le cachent, les autres le négligent, mais c'est là !

Mère Teresa

DU SPIRITUEL POUR CONTRER LES SPIRITUEUX

*J*e suis alcoolique et je viens tout juste de fêter mes vingt et un ans d'abstinence. Au cours de ces années de rétablissement, j'ai réalisé que mon véritable problème était moi-même, c'est-à-dire ma démesure, laquelle se manifestait par un manque flagrant de sobriété émotive.

J'ai été élevée dans une famille où tout semblait normal en apparence. Mon père, homme très brillant, exerçait la médecine, tandis que ma mère, femme dévouée et soumise, s'occupait du foyer à plein temps comme c'était la coutume à l'époque. Mais en réalité, il s'agissait d'une famille dysfonctionnelle, car mon père était alcoolique et ma mère, dépendante affective. Cette dysfonction familiale est devenue visible pour moi vers l'âge de dix ans. L'alcoolisme de mon père s'est accentué, provoquant l'escalade de la violence physique et verbale à la maison. Jusque-là, j'avais été couvée maladivement par ma mère, complètement dominée par elle et tenue responsable de son bonheur. À l'arrivée de ma petite sœur, elle me rejeta brutalement, reportant son affection et son besoin de materner sur ce petit être fragile. Ne comprenant pas la raison de ce rejet, je suis tombée dans un vide vertigineux.

L'éloignement de ma mère a permis un rapprochement avec mon père. Je l'avais vu frapper ma mère à plusieurs reprises, même lorsqu'elle était enceinte; c'était maintenant à mon tour de recevoir des coups. Puis il m'a abusée sexuellement. J'ai donc commencé ma vie en étant très hypothéquée. Je peux dire aujourd'hui, avec le recul, que j'étais en profonde dépression nerveuse dès l'âge de quatorze ans. L'alcool fut l'antidépresseur qui m'empêcha de me suicider.

Ma mère ne s'occupait plus de moi et mon père s'en occupait trop. Je me sentais totalement impuissante, n'ayant aucun contrôle sur ma vie. Je luttais du mieux que je pouvais pour essayer de fonctionner normalement, mais n'avais pas d'outils pour y arriver. J'étais dans un cul-de-sac. À quinze ans, démotivée, j'ai laissé tomber les études. Ma mère m'a alors dit, avec un sourire rassurant: « Ce n'est pas grave, car tu vas te marier et ton mari va te faire vivre. »

Je n'avais qu'une idée en tête, sortir de ce milieu débile, m'éloigner de mes parents, lesquels constituaient de parfaits modèles d'autodestruction. Le jour de mes vingt et un ans, âge légal à l'époque, j'ai quitté la maison avec ma valise remplie de robes cocktails et de petites sandales à talons hauts, or et argent, mais si peu équipée pour affronter la vie. Je n'avais pas d'instruction, donc pas de travail décent, j'étais incapable de vivre l'affectivité et n'avais aucune estime de moi-même. J'étais remplie de rage, de peine, de ressentiment, d'apitoiement, et tout ce que je voulais, c'était trouver un peu de bonheur.

J'ai provoqué de gros remous, dans la société puritaine des années 50, en vivant l'amour libre avec un sculpteur barbu aussi révolté que moi, à l'intérieur d'une communauté beatnik fondée en 1952, à l'Île d'Orléans. Ce fut tout un scandale! Mon père avait le bras long, car il était responsable de la Santé publique à Québec – chose incroyable puisqu'il ne dessoûlait pas. Il menaça de me faire interner à l'Hôpital Saint-Michel Archange pour cause d'aliénation mentale. Terrorisée par cette menace d'internement et devant les pressions religieuses, sociales et familiales, j'ai finalement épousé mon barbu. Il fallait s'y attendre, ce mariage s'est soldé par un échec. Nous avions cru nous aimer parce que nous haïssions les mêmes choses.

Entre-temps, j'avais découvert les « cures géographiques ». Pendant plusieurs années, le fait de changer le mal de place en voyageant, doublé d'une consommation d'alcool allant en augmentant, m'a donné l'impression que la vie était supportable. La *dolce vita* en Italie, la vie de bohème avec divers artistes québécois et montréalais – j'ai connu l'époque exaltante du Refus Global – les folles nuits de jazz de Greenwich Village, à New York, les soirées passées à danser la *merengue* dans les Îles, de même que le concours de *passa doble* gagné à Porto Rico m'ont laissé des souvenirs inoubliables.

Mais il y avait aussi l'envers de la médaille. Les fonds de ruelles, les lendemains de veille... l'immense dégoût de moi-même. Je tentais de survivre dans une démesure impossible à gérer, croyant naïvement trouver le bonheur dans les relations amoureuses, le sexe, l'argent, les plaisirs superficiels, ou même le travail à outrance. Il m'en a fallu du temps pour comprendre que la solution ne viendrait pas de l'extérieur.

Je me suis remariée à l'âge de trente-huit ans, me disant, en bonne dépendante affective : « *Lui*, il va me rendre heureuse. » Je n'avais pas encore compris que personne n'est responsable du bonheur ou du malheur des autres. Nous avons divorcé huit ans plus tard et c'est à ce moment-là que j'ai piqué du nez : incapable de travailler, plus de maison, ni de voiture, ni de chalet dans le Nord et, surtout, plus aucune illusion de bonheur à l'horizon. J'avais tout essayé pour être heureuse, mais rien n'avait marché. Pendant des années, ma vie avait été une succession d'efforts pour tenter de m'en sortir. Lorsque je marquais des points, une bonne cuite sabotait le tout. Je vivais en permanence avec un insoutenable sentiment d'échec.

Je m'enfonçais graduellement dans ma dépendance. Je ne m'en rendais pas compte, faisant partie des 1 % d'alcooliques qui consomment de façon épisodique. Je n'avais pas toujours soif et il m'arrivait même d'avoir des périodes d'abstinence. J'étais donc dans le déni de ma condition : « Moi, alcoolique ! Allons donc ! Je ne roule pas dans mon vomi comme mon père. Moi, je sais boire... j'ai le contrôle... j'arrête quand je veux ! »

Après mon deuxième divorce, ma drogue favorite devint totalement inefficace. Elle n'engourdissait plus mes émotions, ne comblait plus mon vide. J'étais à vif, que je consomme ou non, piégée dans une souffrance que je fuyais depuis des années. La dépression refit surface et la hantise du suicide revint avec vigueur. Un arrêt de consommation s'imposait, mais je découvris avec horreur que j'étais incapable de résister à l'appel de l'évasion. Je vidais le contenu de ma dernière bouteille dans le lavabo pour immédiatement m'en faire livrer d'autres. J'étais possédée, prisonnière de l'alcool, et plus je buvais, plus je voulais mourir.

Je ne me suis pas suicidée. Par quel miracle ai-je, à quarante-huit ans, plié les genoux et admis enfin que j'avais un sérieux problème ? Pilant sur mon orgueil immensément grand, j'ai contacté une fraternité connue d'alcooliques en rétablissement et demandé de l'aide. Ce premier geste d'humilité allait me sauver la vie. Curieusement, le jour où j'ai admis mon impuissance, j'ai retrouvé – un tout petit peu – la maîtrise de ma vie. Ce ne fut pas facile pour la rebelle que j'étais de garder l'esprit ouvert et d'écouter les autres, au lieu de toujours vouloir avoir raison. Lentement, progressivement, j'ai amorcé ma remontée vers la lumière.

Le plus difficile fut d'accepter l'amour des gens. Je me rejetais, alors je dus me faire violence pour m'ouvrir au langage du cœur. Faire confiance aux autres devenait très menaçant. L'inconnu me faisait peur. Au mitan de la vie, il me fallait apprendre ce que j'aurais dû pratiquer dès l'enfance, c'est-à-dire vivre des émotions et être capable de mettre un nom dessus, communiquer de façon adéquate et exprimer mes sentiments sans me censurer.

Les premiers mois suivant l'arrêt de la consommation furent les plus difficiles de tous. Je vivais la culpabilité, le remords, la honte, prenant conscience de tout ce que je n'avais jamais voulu voir dans ma vie. Je n'avais pas encore d'outils pour faire face à tout cela. Je croyais souffrir de maniaco-dépression et j'en parlais autour de moi. Quelqu'un m'a dit un jour : « Téléphone à Pierre Péladeau. Il a aidé beaucoup de monde et il va sûrement pouvoir faire quelque chose pour toi. »

Pierre Péladeau, le président fondateur des entreprises Quebecor ! Ce magnat de la presse, multimillionnaire ! Autant me demander d'appeler le pape ! J'avais l'impression d'être « une moins que rien » lorsque j'osai téléphoner à son bureau, persuadée qu'on m'enverrait promener. Curieusement, la secrétaire me le passa immédiatement, sans poser de question sur la raison de mon appel. J'entendis une voix bourrue dire à l'autre bout du fil : « Allo ! »

– Monsieur Péladeau, dis-je d'une voix tremblante, je m'excuse de vous déranger...

– Quoi ! Qu'est-ce que tu veux ? répliqua ce dernier, du ton sec d'un homme occupé qui n'a pas de temps à perdre.

– Je pense que je suis maniaco-dépressive... je ne consomme plus depuis six mois... quelqu'un m'a dit de vous appeler...

– Attends une minute ! Viens me rencontrer ce midi... non, j'ai quelque chose à mon agenda. Viens plutôt me voir demain à treize heures, au restaurant Le Pirate de Laval.

Je m'y rendis le lendemain midi, encore tout éberluée. Monsieur Péladeau passa tout l'après-midi avec moi, me parlant comme un père et me donnant de précieux conseils. Personne ne m'avait jamais écoutée et cet homme prestigieux, qui avait un empire à diriger, prenait le temps de le faire, même si j'étais une parfaite inconnue pour lui. Cette attention me toucha profondément. Je valais donc quelque chose ! Avant de me quitter, il me conseilla de lire un livre intitulé *Nous sommes tous des maniaco-dépressifs*.

Le lendemain matin, on sonna très tôt à ma porte. J'ouvris et me retrouvai face à face avec Pierre Péladeau qui me tendit le livre en question en disant : « Je suis pressé ! Prends ça, je suis allé te le chercher. » Il avait l'air tout content de me faire cette surprise. J'étais vraiment estomaquée, surtout lorsque je vis la grosse limousine avec le chauffeur qui attendait devant mon petit logement miteux. Monsieur Péladeau aurait pu demander à sa secrétaire ou à n'importe qui d'autre de trouver le livre et de me l'apporter, mais il avait tenu à me le livrer en personne. Quelle générosité de sa part! Ce geste d'amour gratuit marqua un point tournant dans ma vie, car à partir de là, j'ai commencé à croire en la bonté humaine et à faire confiance aux gens.

Cette rencontre, déterminante pour moi, provoqua un important changement dans mon attitude. Ayant compris que j'avais à prendre ma place dans la vie, j'ai cherché et trouvé du travail. Mes débuts dans le monde du journalisme furent modestes, mais j'ai progressé très rapidement. J'ai rebâti mon estime de moi-même à coup de gros efforts. Progressivement, et à mon grand étonnement, le succès est arrivé. Je le dis sans orgueil, mais avec fierté. Magazines, journaux, émissions radiophoniques à CKAC pendant trois ans, conférences, ateliers, six livres publiés…, pas mal pour une femme qui avait passé la plus grande partie de sa vie cachée dans des sous-sols, à l'abri des regards, buvant à en perdre conscience pour ne plus ressentir la souffrance, le vide qui l'habitait.

Lorsque j'ai cessé de surconsommer, j'étais mentalement éparpillée, incapable de me concentrer et encore moins d'écrire une seule ligne cohérente de texte. Si j'avais consulté un psychiatre à ce moment-là, il m'aurait probablement fait interner pour ma propre protection, car j'étais totalement inapte à prendre soin de moi. J'ai failli suivre l'exemple de mon père qui a été interné avant de mourir de son alcoolisme. Je trouve miraculeux d'avoir pu remonter la côte à ce point. La force du processus d'autoguérison est incroyable. Elle m'a permis de récupérer toutes mes énergies, même celles investies dans mon autodestruction. J'ai compris que les soi-disant coups durs, ou «épreuves», sont tout simplement des occasions de libérer de nouvelles énergies, de se dépasser afin de pouvoir rebâtir sa vie sur des bases plus solides.

Je n'aurais évidemment pas pu réussir cette reconstruction toute seule. Diverses démarches auprès de professionnels de la santé n'avaient rien donné. Par contre, l'appartenance à un groupe de personnes ayant connu les mêmes problèmes que moi m'a permis de prendre contact avec mon enfant intérieur, de me retrouver. Mon âme avait soif. Je me suis abreuvée à la plus belle des sources : *l'amour*. C'est grâce à l'amour inconditionnel de mes pairs, capables de comprendre, de respecter ma souffrance et mon désarroi, que j'arrivai à remonter vers la lumière. Dieu, tel que je le conçois maintenant, se manifeste par les êtres humains.

J'ai choisi de m'accorder la priorité dans ma vie, comprenant que je ne serais pas en mesure d'aider les autres si je ne m'occupais pas d'abord de moi. C'est ainsi que j'ai appris non seulement à donner, mais à recevoir cet amour dont j'avais tellement besoin.

Animée par cette belle énergie, j'ai décidé, en cours de cheminement, de me recycler. Laissant tomber le journalisme, je suis devenue intervenante à plein temps auprès des alcooliques et des toxicomanes, à la Maisonnée de Laval. Lors de ma première entrevue avec la directrice, madame Paulette Guinois, j'ai remarqué une photo de Pierre Péladeau sur son bureau. Ce dernier avait beaucoup soutenu cette belle œuvre humanitaire. Cette «coïncidence» m'a semblé être un signe que j'étais sur la bonne voie.

Je suis heureuse dans mes nouvelles fonctions. Je trouve gratifiant d'aider d'autres personnes à trouver le chemin de la sérénité. À la Maisonnée de Laval, nous utilisons, entre autres, les douze étapes du mouvement des Alcooliques anonymes, dont l'efficacité est reconnue dans le monde entier.

Les résidents me demandent souvent s'il est possible de guérir de nos blessures d'enfance. Je peux répondre par l'affirmative. J'ai récemment eu l'occasion de travailler, sur une base individuelle, avec un père de famille ayant pratiqué l'inceste envers sa fille. Les détails de cette relation toxique n'ont éveillé aucune peine, ni colère ou dégoût en moi. J'ai ressenti de la compassion pour ce malheureux, piégé par sa funeste obsession. J'ai essayé de l'aider, honnêtement, sans le juger. J'ai alors réalisé que le fait d'avoir pardonné à mon bourreau de père m'avait libérée du statut de victime dans lequel je me vautrais, inconsciemment, depuis mon enfance. En pardonnant, j'ai rompu le lien qui m'unissait à mon père et lui ai enlevé son pouvoir sur moi. Le pardon n'a pas rendu les gestes posés acceptables, mais m'a permis de me libérer de la haine qui m'habitait.

Délivrée aujourd'hui de mes démons intérieurs, je ne regrette rien de mon douloureux passé. Celui-ci a été un passeport vers le bonheur, puisque ma capacité actuelle de joie est équivalente à ma capacité de souffrance antérieure. Je pense que le bonheur, c'est de se réveiller tous les matins en état de gratitude et d'apprécier la générosité de la vie dans les moindres petites choses. J'ai toujours eu l'impression d'être un casse-tête dont les morceaux étaient éparpillés aux quatre vents. Mais j'ai réussi à replacer les derniers et je me sens enfin complète. Une grande paix m'habite désormais, assortie d'un sentiment de plénitude. Je sais qui je suis, et n'ai plus rien à prouver. Le combat contre l'ignorance et la peur de vivre est enfin gagné. C'est le repos de la guerrière. Après avoir finalement rejoint la grande fraternité humaine, je dis, à l'instar de Carl Jung, que *ça prend du spirituel pour contrer les spiritueux*.

Pour moi, le mot spiritualité veut tout simplement dire «les lois du bonheur». C'est en développant l'humilité, la bonté, la compassion, la tolérance, la confiance, l'espoir et, surtout, la joie de vivre que je peux apporter une modeste contribution pour améliorer le sort de ceux et celles qui souffrent. J'ai fini par comprendre que le but de la vie est d'apprendre à s'aimer et à aimer les autres.

Le cancer a envahi mon organisme depuis quelques mois, mais cela ne m'empêche pas de vivre heureuse, un jour à la fois, en expérimentant la thérapie par le plaisir. C'est avec beaucoup d'amour que j'ai accepté de raconter mon long cheminement, souhaitant redonner espoir, ne fusse qu'à une seule personne. Alors, mes souffrances n'auront pas été inutiles!

Yolande Vigeant

UN VIRUS DU BONHEUR

*T*oute petite, il y eut bien quelques soupçons de bonheur dans ma vie, mais mon quotidien avait un goût plutôt âcre. Dès l'âge de sept ans, je souhaitais en finir avec cette vie qui n'avait aucun attrait pour moi. J'ai d'ailleurs tenté de me suicider en me pendant avec ma corde à danser, mais le plafond cartonné de ma chambre n'a pas résisté et je suis tombée assise par terre, en larmes.

Enfant unique, j'avais atterri dans la vie de mes parents par accident. Je savais qu'ils faisaient perdurer cette relation empoisonnée soi-disant «pour mon bien», mais le climat malsain qui régnait à la maison ne contribuait certes pas à mon épanouissement. J'avais peu de renforcement positif et mon manque de confiance en moi m'attirait systématiquement les moqueries et le rejet de mes camarades d'école.

À neuf ans, une lueur d'espoir est apparue lorsque ma mère a décidé de se séparer de mon père. Nous avons quitté notre petite ville pour nous installer toutes les deux à Québec. J'étais heureuse à l'idée de pouvoir enfin repartir du bon pied. J'avais pris très au sérieux le discours de ma mère qui m'avait fait miroiter une vie merveilleuse, agrémentée d'un tas d'activités que nous ferions ensemble : aller au théâtre, visiter les bibliothèques, faire la tournée des boutiques, etc. Québec était mon «Eldorado» et la déception fut amère lorsque je réalisai que maman n'était absolument pas apte à tenir ses promesses. Elle n'avait même aucun moment de libre à me consacrer.

Le sentiment d'avoir été trahie s'est dès lors emparé de mon ventre. Laissée à moi-même, j'ai dû établir mes propres règles de conduite. À l'école, j'ai décidé de troquer mon rôle de victime contre celui de bourreau. Révoltée, je souhaitais me venger de la vie pour ce bonheur qu'elle me refusait depuis toujours. À quatorze ans, une dispute avec une camarade dans la cour d'école fut la goutte d'eau qui fit déborder le vase. Un accident de voiture, quelques semaines plus tôt, m'avait occasionné une forte douleur au bassin et le médecin m'avait prescrit de l'*empracet*, un analgésique puissant. Je conservais la précieuse bouteille sur moi et je pris la moitié de son contenu devant ma camarade ahurie, gardant l'autre moitié pour une amie avec qui j'avais fait antérieurement un pacte de suicide.

Nous étions en période d'examens et j'allai trouver mon amie, avant le début des tests, pour lui offrir le reste de ma bouteille de pilules. Elle me regarda avec de grands yeux horrifiés et je compris qu'elle n'avait jamais eu l'intention de passer à l'acte. Le scénario que nous avions concocté, elle et moi, m'avait pleinement convaincue, mais cette conviction n'était pas réciproque. Une fois de plus, je me suis sentie trahie, abandonnée par une personne en qui j'avais mis toute ma confiance.

Prévenue de mon geste suicidaire par ma camarade qui en avait été le témoin impuissant, la direction avait aussitôt téléphoné à ma mère. Je fus convoquée au secrétariat où celle-ci m'attendait de pied ferme afin de me conduire à l'hôpital. Sa colère ne fit qu'aggraver mon sentiment de rejet. J'avais l'impression que personne ne pouvait comprendre mon immense détresse.

Prétextant devoir récupérer mon manteau, je m'enfuis à l'extérieur en t-shirt, malgré la température de janvier qui atteignait les – 40°C avec le facteur de refroidissement éolien. Je me réfugiai dans le boisé derrière l'école et me laissai choir sur un rocher en bordure du ruisseau, attendant la fin... Je croyais sincèrement que personne ne me regretterait, que tous seraient même soulagés de me voir disparaître. Un élève qui faisait l'école buissonnière passa par là et fut alerté par mon allure bizarre. Ce garçon ne m'aimait pas particulièrement, mais curieusement, ce jour-là, il décida de me venir en aide en prévenant les autorités. Je lui serai toujours reconnaissante pour ce geste intuitif qui me sauva la vie.

Le vomitif qu'on m'administra à l'hôpital fut efficace. En regardant le tas de pilules rosâtres à moitié dissoutes que je venais de vomir, je réalisai que la vie tenait à peu de chose. Je ressortis de l'hôpital avec une certaine détermination à expulser cette souffrance liée au vide que je portais en moi depuis toujours. Je fis le constat suivant : « Je ne peux faire confiance à personne. » Un deuxième constat plus positif découla du premier : « Je suis la seule responsable de mon bonheur. » L'écriture devint ensuite ma meilleure amie et mon journal intime, mon instrument d'auto-observation afin de mieux me comprendre.

Au cours de ma troisième année de secondaire, je vivais une dualité. Tout en étant impliquée socialement dans des activités parascolaires prônant l'amélioration de la qualité de vie et celle de l'environnement, comme l'organisme *Jeunes du monde*, je fréquentais aussi des groupes marginaux qui faisaient l'usage de drogue et défiaient la loi. Fidèle aux règles que je m'étais établies dès mon jeune âge, j'évitais d'aller trop loin dans la démesure, passant d'un groupe à l'autre, sans vraiment y adhérer. Ces expériences n'eurent pas d'empreintes profondes sur moi. Je répondais parfaitement au dicton « pierre qui roule n'amasse pas mousse ».

En public, j'affichais une solide confiance en moi, mais j'étais terrorisée intérieurement. Je n'étais pas consciente des multiples masques dont je m'étais blindée pour me protéger, car j'étais trop occupée à démasquer les autres. Par exemple, je faisais preuve d'une extrême intransigeance envers certains professeurs qui m'apparaissaient faux, n'hésitant pas à les humilier devant toute la classe, tandis que je respectais loyalement ceux et celles qui exposaient clairement leurs limites, tant sur le plan professionnel que personnel. Je jouais à la justicière, m'acharnant à combattre l'incompétence de toutes mes forces et à défendre les plus faibles.

À seize ans, je vivais déjà en appartement et je travaillais tout en poursuivant mes études au cégep à temps plein. Toutes ces responsabilités en même temps, trop lourdes pour mes jeunes épaules, me conduisirent à l'épuisement et à la dépression. Un court séjour chez une tante psychologue me remit clopin-clopant sur ma route.

Ma vie prit un tournant important en 1995, grâce à la lecture de *La prophétie des Andes* de James Redfield qui m'amena vers la découverte d'une véritable dimension spirituelle. J'avais enfin trouvé une voie qui rejoignait mes valeurs profondes. Je m'appliquais à intégrer les leçons de vie de ce livre, attentive à toutes les coïncidences qui se plaçaient sur ma route.

Un an plus tard, en novembre 1996, un autre événement allait accélérer mon évolution. Je vivais alors à Vancouver et je faisais l'amour avec mon ami de cœur du moment, lorsque nous avons tous deux ressenti un courant chaud-froid qui nous traversa pour se loger ensuite dans mon ventre. Apeuré par ce phénomène étrange, mon ami bondit à l'autre extrémité du lit, tandis que de mon côté, un grand éclat de rire me secoua.

Nous savions tous les deux que nous venions de concevoir un enfant. Pour rassurer mon ami – mais aussi parce que je n'étais pas du tout convaincue de mes capacités parentales – je lui promis de me faire avorter. Le test de grossesse se révéla effectivement positif, mais je ressentis une telle tristesse en pensant à l'avortement que je ne pus m'y résoudre. En prenant la décision de garder ce petit être que je portais, je fus propulsée par l'amour qui m'envahit soudainement. J'aurais voulu crier au monde entier mon immense bonheur d'être mère. Cependant, j'étais consciente que mon enfant apprendrait à partir de mon exemple, de ce que j'étais réellement et non de ce que je tenterais de lui projeter. Il était donc primordial que je devienne authentique afin de le guider sainement tout au long de cette incarnation. C'est pourquoi je me suis mise à prendre soin de moi, de ma santé, mais aussi de mon enfant intérieur.

Nous nous sommes séparés peu après en bons termes, mon ami et moi, malgré son désaccord face à ma décision de garder le bébé. Quelques mois plus tard, j'ai quitté la Côte Ouest pour revenir à Québec, vers les miens. J'étais tellement déterminée à changer intérieurement que la vie m'aida en plaçant un ange sur ma route. Deux mois avant d'accoucher d'Émilie, ma petite fille, moment où je n'étais guère disposée à une rencontre amoureuse, je tombai en amour avec un homme formidable, doté d'une *vérité du cœur* extraordinaire. Celui-ci allait m'être d'un grand secours pour amorcer ma transformation.

Cet homme, que j'admirais beaucoup, m'apprit à communiquer librement et respectueusement. À ses côtés, je réussis à extirper de moi l'orgueil, ce démon qui me collait aux tripes et qui nuisait à toutes mes relations. Un an plus tard, souhaitant explorer des avenues qu'il ne pouvait approfondir en couple, mon bien-aimé me quitta. Malgré ma peine, je lui étais reconnaissante pour l'étape évolutive qu'il m'avait permis de franchir à ses côtés. Il m'offrit un dernier cadeau en me parlant des cours de développement personnel intitulés « Vaincre son hypersensibilité » donnés par André Sicotte, aujourd'hui décédé.

Le premier cours eut lieu en septembre 1998, à la Maison de la Famille de Sainte-Foy. André Sicotte, ce thérapeute au regard perçant, ce *bulldozer d'amour* comme je l'appelais affectueusement, transforma complètement ma vie. Il se montra dès le début très direct dans ses interventions. C'était comme s'il cassait ma carapace à coup de pic à glace. Lorsque le barrage émotionnel cédait, les écluses s'ouvraient toutes grandes et je sortais à l'extérieur du local en pleurant de rage.

André se révéla aussi très confrontant pour mon ego, me remettant à ma place, moi la justicière, la *redresseuse* de torts. Souvent, il ne m'accordait le droit de parole que lorsque tous les autres s'étaient exprimés librement, ce qui me mettait au supplice et suscitait énormément de questions à l'intérieur de moi.

Au fil des rencontres hebdomadaires que je me faisais un devoir de ne jamais manquer, j'apprenais à vivre avec la vie, à regarder mes émotions sans les fuir et à les exprimer

adéquatement, de même qu'à comprendre les gens que je cô-
toyais au lieu de les détester bêtement. Bref, j'agissais de plus
en plus à travers mon essence. Je découvrais aussi que la peur
était à l'origine de ma douleur, qu'elle me retenait dans le contrôle et m'empêchait de développer ma créativité. Petit à petit,
j'arrivais à mettre le mental au service de la créativité, afin que
celle-ci puisse s'exprimer librement. Ce lâcher-prise permettait
d'alléger la charge sur mes épaules que je sentais se redresser
semaine après semaine.

J'ai suivi ces cours pendant deux ans et demi, m'efforçant
d'intégrer la théorie en expérimentant concrètement ce que
j'apprenais. Un jour, je regardais les nouvelles à la télévision et
je me mis à pleurer de découragement. J'étais incapable de me
reconnaître dans cette société qu'on me démontrait, d'être en
accord avec ces lois qu'on m'imposait. Je me sentais terriblement impuissante et c'est alors que j'ai pensé à André. Me réfé-
rant à son enseignement, plusieurs questions et réponses ont
défilé dans ma tête : « Quelle est l'émotion que je vis en ce moment ? »

– L'impuissance.

– Que puis-je faire pour me sentir puissante ?

– Utiliser mon essence personnelle qui est l'entregent.

– Comment ?

– Trouver un local et réunir des gens.

– Dans quel but ?

– Discuter des problèmes pour arriver à trouver des solutions.

De là est né le *Groupe C.A.R.M.A., Cercle d'action et de réflexion
sur le monde actuel*. Un projet de sacs d'épicerie écologiques,
projet à but non lucratif visant à réduire l'utilisation des sacs de
plastique dans les commerces, en est résulté. Bien sûr, il s'agit
d'une goutte d'eau dans l'océan, d'un tout petit geste pour
changer le monde, mais je suis persuadée qu'il a son importance. Je rêve maintenant d'ouvrir un commerce intégré au

cycle de la nature, offrant des produits écologiques de chez nous, doté d'une ambiance saine, avec des gens heureux pour accueillir les clients.

Aujourd'hui, je sais que je ne songerai plus jamais à m'enlever la vie parce que je comprends que nous sommes sur terre le temps de devenir meilleurs et qu'il est important de savourer ce temps qui nous est offert, et ce, jusqu'à la dernière seconde.

Je crois que toutes les expériences que j'ai vécues, même les plus douloureuses, forment un tout cohérent dans le grand tableau de ma vie. À travers mon parcours, je me suis «réapproprié» mon droit d'être heureuse et rien ni personne ne peut désormais me l'enlever.

Mon souhait est maintenant de devenir une sorte de «virus du bonheur» qui s'infiltre dans la société afin de contaminer le plus de gens possible et les amener à éliminer la peur pour la remplacer par l'amour. C'est ainsi que de petits gestes seront posés par de plus en plus de gens créatifs, donnant naissance à d'autres projets ici et là qui, mis bout à bout, engendreront la guérison de cette société qui nous implore d'exister.

Anne Beaumier

LES ALLÉGORIES
ONT CHANGÉ MA VIE

*I*l y a quelques années, j'exerçais la profession d'orthopédagogue auprès d'enfants du primaire qui éprouvaient des difficultés d'apprentissage ou de comportement. J'avais précédemment œuvré auprès d'une clientèle de jeunes du secondaire et d'adultes. Jusqu'alors, j'utilisais les méthodes qu'on m'avait enseignées et qui s'adressaient principalement à l'esprit logique de l'enfant, c'est-à-dire au cerveau gauche, pour tenter de l'amener à modifier une attitude ou un comportement négatif. Mais les résultats n'étaient pas toujours au rendez-vous.

Parallèlement, dans le cadre de mon travail, je suivais aussi divers perfectionnements et différentes formations, et un beau jour, j'expérimentai la programmation neurolinguistique, ou PNL, qui allait marquer un tournant dans ma carrière. À l'intérieur de la PNL, je fus sensibilisé aux allégories, découverte qui changea complètement ma vie personnelle et professionnelle. L'allégorie, du grec *allos* : autre et *agorein* : parler, est une histoire métaphorique qui semble bien banale, et dans laquelle on retrouve un problème précis, mais qui contient aussi la solution qui va s'adresser au niveau de l'imaginaire de la personne, dans le cerveau droit, et ainsi l'aider à actualiser ses propres ressources face à ce qu'elle vit.

Je me suis donc intéressé davantage aux allégories en participant à des ateliers animés par Jean Monbourquette. Avec un groupe de collègues, je me suis mis à bâtir des allégories pour aider les jeunes à passer à travers leurs difficultés. Par la suite, pendant plus d'un an, avec l'aide d'un psychologue, nous avons participé, mes collègues et moi, à un groupe de supervision où nous partagions nos succès avec cette méthode de travail géniale. J'étais enthousiasmé de voir que cela fonctionnait si rapidement et que nous économisions un temps précieux dans nos interventions auprès des enfants.

L'année suivante, je décidai donc d'approfondir le domaine et de faire des recherches sur les allégories. Je voulais bâtir un document regroupant les histoires qui me semblaient intéressantes afin de le remettre aux membres de mon groupe, comme outil de travail. C'est à ce moment-là que je me suis rendu compte qu'il n'y avait pratiquement rien d'écrit sur le sujet. Ma préoccupation pour la créativité, ou mon esprit innovateur, m'a toujours amené à penser que si quelque chose n'existait pas pour répondre à un besoin, il fallait le créer. Je suis donc parti de cette prémisse pour me dire : « Je vais faire un livre sur les allégories. »

Seule ombre au tableau, je n'avais aucune confiance en moi pour entreprendre, seul, un projet d'une telle envergure et j'ai dû faire appel à Jean Monbourquette. Celui-ci avait un agenda très chargé et n'avait pas le temps d'écrire un livre avec moi, mais il m'a encouragé en disant : « Je te regarde aller depuis un bon bout de temps et je suis persuadé que tu es capable d'écrire ce livre. Je m'engage même à superviser tes écrits et à rédiger la préface de ton volume. »

Je ne partageais cependant pas son optimisme et je demandai simultanément l'aide de deux autres psychologues qui connaissaient bien cette approche. Le premier n'avait pas de temps à consacrer à mon projet et le second n'était pas disponible à ce moment-là.

Je réfléchis aux paroles de Jean Monbourquette : si cet homme qui était mon mentor et que j'admirais beaucoup croyait à ce point à mon potentiel, ce devait être parce que j'avais la capacité de faire ce livre. Je me suis donc lancé à pieds joints dans ce projet et, par surcroît, sans connaître aucunement le monde de l'édition. Je pensais naïvement qu'il suffisait d'écrire un manuscrit pour qu'un éditeur accepte de le publier. Je faisais donc part à tout le monde que j'étais en train d'écrire un livre qui sortirait en librairie à l'automne suivant. Cela engendrait, bien sûr, beaucoup de scepticisme de la part des gens de mon entourage, mais à travers ces déclarations, je me programmais moi-même vers cette réalisation future.

Je vivais, à cette même période, toutes les émotions reliées à ma séparation conjugale et je bâtissais différentes allégories susceptibles de m'aider dans mon vécu personnel, sans toutefois négliger les problématiques que vivaient les enfants et les parents qui m'entouraient. Au début de juin 1993, mon manuscrit, qui contenait soixante-quinze allégories, était terminé. J'appris alors qu'il fallait le présenter à plusieurs maisons d'édition et j'en préparai dix exemplaires. Le 20 juin, j'en postai neuf à différents éditeurs, et gardai le dixième, afin de le remettre en mains propres à un éditeur de ma région, monsieur Jean-Claude Larouche, président des éditions JCL, que je ne connaissais que de nom et pour avoir vu sa photo dans les journaux.

Au moment où je me dirigeais vers un restaurant pour y dîner ce jour-là, je rencontrai, par hasard sur la rue, monsieur Larouche lui-même. Quelle surprise! Je me présentai et lui parlai de mon livre. Comme il était pressé, il me demanda de lui laisser le manuscrit pour qu'il puisse le regarder. Je refusai, insistant plutôt pour obtenir une entrevue à son bureau. Je voulais mettre toutes les chances de mon côté, en lui expliquant de vive voix le contenu de mon bouquin, auquel je croyais profondément. J'obtins un rendez-vous pour le lendemain.

Dix jours plus tard, je reçus une réponse positive d'une maison d'édition de la région de Montréal, en même temps qu'une proposition de contrat avec monsieur Larouche. Ma naïveté m'a sans doute servi : en évitant de mettre des barrières dans ma tête, tout s'est déroulé tel que je l'avais prévu. Mon livre, *Allégories pour guérir et grandir*, publié par les éditions JCL,

146

fut lancé à l'automne suivant, en présence de celui qui m'avait encouragé et stimulé, monsieur Jean Monbourquette. Ce dernier avait tenu parole en supervisant mon livre et en rédigeant sa préface. J'étais extrêmement fier de moi!

Je fus cependant surpris de l'accueil et de l'intérêt suscités par cette parution. Comme j'étais de nature très timide, j'avais toujours refusé de prendre la parole en public; par exemple, lorsque j'allais dans des assemblées où il y avait plus d'une vingtaine de personnes, je me tenais coi. Voilà que j'étais invité à la radio et à la télévision pour parler de mon livre. La première entrevue télévisée ne devait durer que cinq minutes, mais cela me causa un tel degré d'anxiété que je fus incapable de dormir la nuit précédente. Cependant, tout se passa très bien et cette expérience augmenta ma confiance en moi. J'arrivai même à donner des conférences devant des centaines de personnes. Je me découvrais des talents d'orateur que je n'avais jamais soupçonnés chez moi.

Je fus bientôt invité à parler des allégories dans différents colloques et je réduisis mes heures de travail dans l'enseignement. On m'avait dit que la durée de vie d'un livre était de trois à six mois, mais à mon grand étonnement, les mois et les années passaient et mon livre se vendait toujours très bien. Il fut réédité plus d'une dizaine de fois, puis traduit en espagnol, et les Éditions de L'Homme le présentèrent à Paris. La demande était tellement grande que sont nés par la suite quatre autres volumes sur les allégories.

Ce succès me procurait une certaine reconnaissance sociale, mais je m'appliquais à demeurer moi-même à travers tout cela. Je trouvais génial de pouvoir aider efficacement un grand nombre de gens, mais je voyais mon travail avant tout comme un instrument parmi d'autres tout aussi valables.

Un jour, j'ai décidé de prendre un temps d'arrêt pour faire un stage d'écriture de trois mois, à Paris. Je me suis retrouvé dans un magnifique monastère au cœur même de Paris. J'étais en Europe depuis trois semaines et la vie me semblait magnifique, lorsqu'un événement dramatique vint troubler ma quiétude: mon père décéda subitement.

Le lendemain matin, je pris le premier avion pour le Québec, assistai aux obsèques et revins à Paris quatre jours plus tard, pensant reprendre mes activités là où je les avais laissées. Mais cela ne se passa pas du tout comme prévu. J'oubliais que j'avais un deuil à faire et la vie se chargea de me le rappeler. Mon système immunitaire s'épuisa et j'attrapai une grippe carabinée qui m'obligea à prendre des antibiotiques. Je me suis retrouvé au lit, complètement épuisé et broyant du noir. Sans le soutien de ma famille pour m'aider à vivre le deuil de mon père, je me sentais terriblement seul et la panique s'empara de moi.

Plusieurs années auparavant, j'avais souffert d'agoraphobie. À l'époque, j'étais incapable de prendre l'autobus et encore moins l'avion, et le simple fait de m'éloigner de mon domicile me rendait excessivement anxieux. J'étais donc demeuré quatre ans sans sortir de ma ville. J'avais réussi à régler mon problème grâce à la PNL et autres interventions, mais l'état de vulnérabilité dans lequel je me trouvais maintenant m'amenait vers une rechute. Je songeais à revenir au Québec lorsque j'eus l'idée d'avoir recours aux allégories. Puisque cela marchait si bien pour les autres, cela devrait fonctionner pour moi aussi.

J'ai donc bâti de nouvelles allégories sur le thème de la panique et celui de la résolution de deuil. Lorsqu'on lit une histoire allégorique pour soi, le conscient a tendance à mettre des barrières. Je fermais donc les yeux et visualisais l'histoire, pour projeter l'image dans mon inconscient, afin d'obtenir les résultats escomptés. Quelques jours plus tard, j'avais surmonté ma panique et ma déprime, et je me sentais beaucoup mieux physiquement. J'ai donc pu terminer sans encombre mon stage à Paris, tel que je l'avais prévu initialement.

Actuellement, je me consacre à temps plein au monde de l'écriture et de l'animation. Les allégories m'ont permis non seulement de développer mon potentiel au maximum et d'améliorer mon estime de moi, mais aussi de pouvoir aider un nombre incalculable d'enfants, d'adolescents et d'adultes. Jusqu'à maintenant, j'ai participé à des dizaines d'émissions de radio et de télévision et j'ai animé des centaines d'ateliers et conférences un peu partout au Québec, au Canada et même en Europe. C'est cette gratification qui me motive à poursuivre ce que je considère comme ma «mission de vie» personnelle. J'ai l'impression qu'une «présence invisible» m'accompagne à travers cette mission et me souffle à l'oreille les paroles pouvant fournir des pistes éclairantes aux gens qui en ont besoin.

La découverte des allégories m'a vraiment transformé en profondeur : je suis aujourd'hui plus ouvert aux autres, plus épanoui et plus confiant dans la vie. J'ai aussi pris conscience que ma famille et mes amis proches étaient très importants pour moi. Ce sont eux qui constituent mon véritable réseau social et je les remercie d'être là.

Michel Dufour

L'ACCEPTATION DE CE QUI EST

J'avais déjà deux crises cardiaques à mon actif et j'éprouvais une forme d'angoisse, chose fréquente chez les gens ayant eu des problèmes cardiaques, qui me donnait souvent l'impression que j'allais en faire une troisième. Mais je ne me doutais pas que le problème viendrait d'ailleurs et je fus surpris d'apprendre, en juin 1992, que j'avais un cancer du poumon.

J'ai tout de suite voulu avoir l'heure juste. Malgré tous les examens que j'avais passés, le médecin ne pouvait se prononcer avant d'avoir ouvert le médiastin. Je lui ai alors demandé de me donner le pire scénario. Il m'a répondu que, dans le pire des cas, il refermerait sans intervenir et qu'il me resterait tout au plus un mois et demi à vivre. Le meilleur scénario était qu'on puisse m'enlever toute la masse et qu'il n'y ait pas de métastase ailleurs dans l'organisme.

Je n'ai pas paniqué en entendant cela, malgré le fait que c'était tout un choc de devoir affronter la mort dans un aussi bref délai. Je me sentais bien physiquement, je n'avais aucune douleur et pouvais analyser la situation avec calme. Mais je n'avais aucune idée de quel côté la balance pencherait et je devais attendre la chirurgie pour le savoir. J'avais un ami qui s'était noyé l'année auparavant, alors qu'il n'avait que vingt-cinq ans et je m'étais dit: «Pourquoi lui?» Cette fois, c'était: «Pourquoi pas moi! Si mon tour est venu, je ne peux rien y changer de toute façon, même si je pleure et me lamente.»

Je suis positif de nature et j'ai choisi d'accepter cette situation sur laquelle je n'avais aucun contrôle dans l'immédiat, en remerciant la vie pour tous les bons moments qu'elle m'avait procurés. J'étais dans une belle période de ma vie. Je produisais à ce moment-là l'émission *Surprise sur Prise* et j'étais heureux parce que j'aimais mon travail et que l'argent rentrait à flots.

J'ai décidé d'être indifférent face à ce cancer, de minimiser son importance, de ne pas le laisser me toucher pour ne pas lui donner d'emprise sur moi. Je refusais de combattre, car dans tout combat il y a toujours un gagnant et un perdant et je risquais de perdre. Je devais cependant me conditionner chaque jour pour trouver la force intérieure d'accepter, sans opposer de résistance, le fait que je pouvais mourir dans un mois et demi. Ce ne fut heureusement pas le cas. On m'enleva un poumon et, comme il n'y avait pas de métastase ailleurs dans mon organisme, le problème fut réglé.

Deux ans plus tard, me voilà aux prises avec un nouveau cancer qui n'avait rien à voir avec le premier, logé cette fois au mésentère. Je n'avais jamais entendu ce mot et j'appris qu'il désignait le repli du péritoine qui relie le petit intestin à la paroi abdominale. Cela m'inquiéta davantage au début, mais, encore une fois, je choisis d'accepter et de faire confiance. On me proposa de la chimiothérapie, dont l'effet fut deux fois plus rapide que prévu. La tumeur régressa rapidement jusqu'à ce qu'elle soit de la taille d'une pièce de dix cents.

Pendant les traitements de chimiothérapie, je continuais de mener une vie active, comme si de rien n'était, en dépit des effets secondaires : perte de cheveux, fatigue extrême par moments, etc. Je produisais toujours l'émission *Surprise sur Prise* et, lorsque j'avais un rendez-vous, je me rendais une heure plus tôt sur les lieux et je faisais ensuite une sieste dans mon automobile. Ma secrétaire me téléphonait dix minutes avant l'heure du rendez-vous pour me réveiller. J'ai fait cela pendant des mois et c'est ainsi que je suis arrivé à fonctionner normalement.

Le médecin me proposa ensuite des traitements de radiothérapie pour faire fondre la petite masse qui restait, mais je refusai. J'avais lu que la radiothérapie détruisait aussi les tissus sains et je trouvais que nous avions fait assez de ravages dans mon organisme avec la chimiothérapie. Tout en faisant confiance à la médecine, j'étais à l'écoute de ce que je ressentais. J'avais une sorte de sixième sens qui me disait de ne pas m'inquiéter de cette masse, que c'était tout simplement la cicatrice de la tumeur qui avait elle-même fondu. Le médecin accepta mon point de vue et me proposa de vérifier à nouveau dans trois mois. Comme la masse n'avait pas bougé au bout de trois mois, nous avions la preuve que mon intuition ne m'avait pas trompé et qu'il s'agissait bel et bien d'une cicatrice inoffensive.

Près d'une décennie s'est écoulée et je suis toujours là, et content de l'être. Je pense que ce qui m'a sauvé, c'est l'acceptation. Non pas l'acceptation forcée, cette forme de résignation passive qui génère de l'amertume et de la colère, mais l'acceptation véritable de ce qui est, avec reconnaissance pour toutes les belles années vécues. J'ai accepté sans combattre ce qui se présentait dans ma vie et sur lequel je n'avais aucun contrôle. J'ai aussi accepté sans aucune crainte de faire face à ma mort imminente. J'ai lâché prise en me disant que si mon heure était arrivée, je ne pouvais rien y changer de toute façon, car quelqu'un de plus fort que moi plaçait les pièces au bon endroit sur l'échiquier de ma vie.

Marcel Béliveau

L'APPRENTISSAGE
DU LÂCHER-PRISE

Ce jour-là, je ne voyais plus que le suicide pour échapper à la souffrance qui me déchirait intérieurement. Depuis six mois, je faisais face à de nombreuses pertes, tant affectives que matérielles. L'élément déclencheur s'était produit lorsque mon conjoint m'avait annoncé qu'il me quittait pour une autre femme, après onze ans de vie commune. Comme celle-ci faisait partie de mon cercle d'amies, je me sentais doublement trahie.

Ma relation de couple m'avait semblé solide jusque-là, malgré l'impression furtive, depuis quelques mois, qu'un malaise s'était installé entre mon conjoint et moi. Ce dernier persistait à me dire que tout allait bien et je ne demandais pas mieux que de le croire aveuglément, ayant été trompée à quelques reprises dans le passé. J'ignorais alors que ce qu'on refuse de comprendre revient forcément et avec plus d'ampleur un jour ou l'autre dans notre vie, jusqu'à ce que nous soyons en mesure d'intégrer la leçon.

J'avais travaillé très fort pendant des années, tout en poursuivant des études afin d'obtenir un diplôme universitaire me permettant d'avoir un statut professionnel plus élevé et d'augmenter ainsi mes revenus. Au tournant de la quarantaine, mon but était atteint avec tous les bénéfices qui en découlaient. Mes efforts m'avaient permis de réaliser «le rêve américain»: une vie familiale stable, un travail valorisant, une maison coquette et bien meublée, deux voitures dans l'entrée, ma fille inscrite dans un collège privé, etc.

Mais voilà que mon rêve s'écroulait brusquement et je me retrouvais à la dérive, en état de choc. Je ne pouvais pas croire que je vivais encore une fois le même pattern, que j'étais de nouveau trahie, abandonnée, profondément blessée. Pour ne pas sombrer totalement, je m'accrochais du mieux que je pouvais à cette vie idyllique que je m'étais bâtie et qui me procurait une forme de sécurité.

Démolie intérieurement, je ne pouvais envisager un déménagement dans l'immédiat. Je rachetai donc la part de la maison qui appartenait à mon conjoint, prévoyant la vendre dans un an, lorsque je me serais remise sur pied. Un an plus tard, le marché immobilier s'écroula et je grattai les fonds de tiroirs pour pouvoir effectuer les paiements d'hypothèque que la banque me réclamait avec insistance.

Ma mère, gravement malade, décéda au cours de cette période, tandis que ma fille adolescente réagissait fortement aux changements qui lui étaient imposés. Son petit ami fut retrouvé pendu un bon matin et je craignis qu'elle décide de le rejoindre dans l'au-delà. J'aimais ce garçon comme un fils et la culpabilité de ne pas avoir réussi à le sauver s'ajouta au fardeau qui pesait déjà lourdement sur mes épaules.

Tant d'émotions et de pertes en même temps m'épuisèrent et me conduisirent au surmenage professionnel. En arrêt de travail, acceptant difficilement le support de l'assurance-salaire et croulant sous les difficultés financières, je m'isolai dans ma maison pour tenter de me soustraire au regard des autres. J'avais toujours projeté l'image d'une femme forte, d'une battante, et je faisais maintenant face à ma vulnérabilité. Mon estime de moi était à son plus bas niveau. Je me dévalorisais, me jugeant très sévèrement, craignant par-dessus tout le jugement des autres. Je me sentais rejetée et j'avais énormément peur de vivre seule.

C'est à ce moment-là que j'ai pensé au suicide comme ultime remède pouvant faire taire ma souffrance. J'avais été abandonnée dès ma naissance – placée chez des parents éloignés parce ma mère était considérée inapte à s'occuper d'un bébé – et cette blessure d'abandon s'accentuait à chaque rupture amoureuse. Face à tout ce qui s'était produit dans ma vie au cours des derniers mois, mon «mal d'Être» était devenu intolérable. J'étais fermement décidée à passer aux actes, sachant très bien comment m'y prendre.

Assise dans la salle à manger, je regardais dehors par la fenêtre, et ne voyais que le vide, tant à l'extérieur qu'à l'intérieur de moi. Il se produisit alors un phénomène très étrange. J'eus tout à coup l'impression d'entrer dans un nuage, de basculer dans une autre dimension, dans un espace intemporel. Je vis une lumière dorée venir vers moi et m'envelopper tout doucement. J'entendis alors clairement à l'intérieur de moi «Choisis la vie, maintenant!» Je pouvais ressentir toute la magie du moment. J'avais l'impression de recevoir la vie, de naître... ou renaître, à cet instant précis.

Je me souviens de m'être ensuite levée de ma chaise pour me diriger vers mon lit. Je ne repris conscience que trois jours plus tard, n'ayant aucun souvenir de ce qui avait pu se passer pendant mon long sommeil. Je ne me rappelais pas m'être levée du lit une seule fois pour aller aux toilettes. C'était comme si le temps avait cessé d'exister pendant ces trois jours. Je me sentais bizarre, différente, et je savais qu'un changement important s'était produit en moi: je ne pensais plus au suicide, je choisissais désormais de vivre!

Tout en entreprenant une démarche spirituelle personnelle, j'eus recours aux services d'une psychothérapeute pour m'aider à me reconstruire intérieurement. Je pris conscience que j'identifiais ma valeur personnelle en fonction des possessions matérielles, de tout ce qui était extérieur à moi, parce que je ne connaissais pas autre chose. Depuis des années, je me situais au niveau de *l'avoir*, oubliant *l'être*. Je jouais aussi le rôle de la femme parfaite, fonceuse, organisatrice, capable de «contrôler» ses émotions et de faire rire les autres. Le ressort s'était cassé, me laissant triste et anéantie. Ma thérapeute me suggé-rait de lâcher prise, mais j'ignorais ce que cela signifiait, ayant vécu toute ma vie dans un monde de contrôle, de routine et de structure.

Depuis mon expérience d'enveloppement par la lumière dorée, je bénéficiais d'une forme de clairvoyance. Des visions m'apparaissaient comme un flash. Par exemple, pendant plus de deux mois, j'eus régulièrement l'image que je me trouvais dans les airs, à l'intérieur d'un vieil avion de guerre dont la porte était ouverte. Un instructeur se tenait près de moi et m'exhortait à sauter, alors que je n'avais pas de parachute. «Tu dois sauter, ne cessait-il de me répéter, en ayant la foi qu'entre le ciel et la terre, un parachute apparaîtra.»

Grâce à cette vision, j'ai finalement compris ce que signi-fiait le «lâcher-prise». Peu à peu, j'en suis arrivée à foncer vers l'avant en toute sécurité, avec la foi que je trouverais en cours de route tous les outils dont j'avais besoin. Ainsi, alors que j'avais lutté pendant des mois pour pouvoir conserver ma maison, j'acceptais maintenant de la laisser aller. Le marché immobilier était au plus bas, mais je réussis à la vendre, comme par miracle, deux jours avant de devoir remettre les clés à la banque. De plus, mon ex-conjoint assuma la responsabilité de rembourser la subvention obtenue au moment de l'achat. Mes difficultés financières se résolvaient et tout se plaçait correcte-ment dans ma vie, à mesure que j'expérimentais le lâcher-prise.

Des portes s'ouvraient, de nouvelles avenues se présen-taient à moi et ma confiance intérieure se développait. Plus j'avançais avec confiance, plus je réalisais que j'étais capable de créer par ma pensée, de manifester concrètement dans la ma-tière, de m'attirer le succès et l'abondance. À un moment donné, j'assistai à une conférence de Lise Bourbeau, directrice du Centre Écoute ton corps, qui avait lieu dans une très belle salle de Longueuil. Je regardais la conférencière lorsque je me suis vue à sa place. Je me suis alors dit qu'un jour, j'enseignerais moi aussi l'amour, par le biais de conférences. Quelques années plus tard, je me suis retrouvée dans la même salle, en train de donner une conférence sur le lâcher-prise. La magie de la vie avait opéré et mon rêve s'était réalisé.

L'expérience que j'ai vécue m'a d'abord semblé dramatique et a failli me conduire au suicide. Croyant perdre tout ce que j'avais amassé au prix de grands efforts, j'ai lutté désespérément pour retenir ces possessions extérieures qui m'échappaient. L'apprentissage du lâcher-prise m'a permis de reconnaître mon pouvoir intérieur et c'est ainsi qu'au lieu de perdre, j'ai finalement tout gagné. Étant donné que ce qui est autour de nous n'est que le reflet de ce qui se trouve en nous, en me reconnaissant intérieurement, la reconnaissance extérieure a automatiquement suivi.

J'en suis arrivée à me sentir en sécurité dans l'insécurité, dans la déstructuration. Tout ce que j'ai appris en cours de route, je m'applique maintenant à le partager aux autres au moyen de livres, de conférences, de voyages-ateliers et de séminaires sur le thème du lâcher-prise, en plus des consultations et du suivi que j'offre en privé. Mon travail consiste à aider les gens à passer plus facilement à travers les deuils et les pertes de tous genres, à contacter leur pouvoir intérieur et à manifester concrètement leurs rêves.

Mais le plus grand cadeau que m'a procuré cette expérience de lâcher-prise est la pure «joie d'Être», cette joie profonde que je ressens d'être sur terre. J'ai parfois l'impression que mon corps est trop petit pour contenir tout ce bonheur dont mon cœur déborde.

La leçon que j'en retire aujourd'hui est qu'une joie provenant de l'extérieur est éphémère et crée un vide qui nous amène à rechercher un autre plaisir pour combler ce vide. Tandis que la joie intérieure – tout comme la sécurité intérieure – fait partie intégrante de nous et ne peut nous être enlevée, quels que soient les obstacles et les difficultés qui se présentent sur notre chemin.

Dolores Lamarre

ATTRAPER LE BONHEUR
AU VOL

*J*e suis une enfant issue de la guerre. Je suis née en 1942, en Biélorussie, petite parcelle de terre située entre l'Ukraine et la Pologne qui appartenait à la Pologne lorsque les Russes l'ont envahie en 1939. À la fin de la guerre, la Biélorussie a été annexée à la Russie. Une partie de la population, qui était polonaise, s'est retrouvée du jour au lendemain sous le régime communiste avec une langue, une culture et des valeurs différentes.

À l'époque, mon père était directeur d'un lycée et ma mère y enseignait le russe. Ces derniers avaient des problèmes avec les autorités qui les accusaient de ne pas imposer suffisamment les lois en vigueur dans le nouveau régime. Par exemple, lors de l'anniversaire de Staline, tout le monde devait défiler devant sa statue en criant «Vive Staline!». Les adolescents du lycée refusaient de se plier à cette directive, défiant ainsi ouvertement les autorités en place. Mes parents furent tenus responsables du comportement récalcitrant des élèves et furent mis sur la liste noire du parti communiste en vue d'une déportation vers la Sibérie.

Les agents de la NKVD, que les gens avaient baptisés «les corbeaux noirs», frappaient aux portes, sans avertissement, au milieu de la nuit. Ils arrêtaient les condamnés à la déportation et les entassaient ensuite dans des trains en partance pour la Sibérie. C'était parfois difficile pour cette police secrète de trouver une maison, car avec le nouveau régime, beaucoup de rues avaient changé de nom et les adresses des gens ne correspondaient pas nécessairement aux listes du dernier recensement.

Une nuit, les corbeaux noirs cherchaient notre maison et je ne sais par quel miracle, ils frappèrent à la porte de mes grands-parents maternels pour obtenir des renseignements. Ma grand-mère blêmit et faillit s'évanouir en constatant qu'ils recherchaient la famille de sa fille. Mes grands-parents mentirent en disant : « Cette rue que vous cherchez n'existe plus et ces gens sont partis depuis belle lurette. » Dès le départ des pions soviétiques, ils accoururent à la maison pour dire à mes parents : « Sauvez-vous sans tarder, car les corbeaux noirs vous recherchent et ils finiront bien par vous trouver si vous demeurez ici. »

Mes parents rassemblèrent en vitesse quelques effets. Mon père prit son violon et ma mère ramassa quelques livres ainsi que des bijoux qu'elle espérait pouvoir échanger contre de la nourriture. Nous partîmes vers la frontière allemande, tous les cinq, mes parents, mes deux frères adolescents et moi-même, qui n'était qu'une toute petite fille dans les bras de ma mère. Le voyage fut très long, à pied à travers les bois ou bénéficiant de la charrette d'un bon samaritain pour faire un bout de chemin. Nous sommes finalement arrivés sains et saufs à la frontière. Il fallait payer un guide qui servait de passeur. J'ignore pour quelle raison – peut-être une question d'argent ou encore de sécurité – mon père jugea préférable que ma mère franchisse la frontière seule avec les enfants, tandis qu'il rejoindrait la famille plus tard. Mes parents se sont quittés en se donnant rendez-vous à un endroit précis en Allemagne.

Ma mère espérait chaque jour voir arriver son mari. Après plusieurs jours d'inquiétude et d'attente interminable, elle rencontra des gens qui arrivaient de Biélorussie. Ceux-ci lui apprirent que mon père avait été capturé et déporté vers la Sibérie. Elle se retrouvait complètement seule en pays étranger, sans moyen de subsistance, avec trois enfants à sa charge. Elle décida alors de suivre les Américains en Belgique, où elle trouva du travail comme domestique. Ce ne fut pas facile pour cette fille de la noblesse terrienne, qui avait été élevée avec des gouvernantes à son service, de se voir réduite à faire le ménage chez les gens.

Mais ce qu'elle ignorait, c'est que mon père n'avait pas été capturé comme les gens le prétendaient. C'était plutôt son frère, qui avait aidé notre famille à s'enfuir, que les autorités avaient puni en le déportant à sa place. Mon père est arrivé en Allemagne peu après notre départ. Personne ne pouvait le renseigner sur la destination de sa famille. Il ne pouvait pas non plus communiquer avec ses beaux-parents, ceux-ci ayant quitté la Biélorussie, devenue trop dangereuse, sans laisser d'adresse.

J'imagine son grand désarroi, n'ayant aucun point de repère et ne sachant pas dans quelle direction chercher. Il se souvint alors que ma mère avait une tante qui vivait à Albany, aux États-Unis, et il eut l'idée d'écrire à la Croix-Rouge internationale. Il raconta son histoire en détail, mentionna le nom de jeune fille de la tante de maman à Albany et supplia qu'on l'aide à retrouver sa famille. Au même moment, ma mère fit exactement la même démarche de son côté. Par quel autre miracle la lettre de mon père et celle de ma mère se retrouvèrent-elles entre les mains du même employé, parmi la pile de courrier qui arrivait tous les jours à la Croix-Rouge ? Est-ce la mention de la tante à Albany qui l'amena à faire le lien entre les deux demandes, je ne saurais le dire. Mais cet homme communiqua avec mes parents, chacun de leur côté, pour les mettre en contact. Fou de joie, mon père, qui se trouvait alors au Danemark, s'empressa de venir nous retrouver en Belgique.

Quelles belles retrouvailles, mais quelle vie difficile cependant, dans un pays étranger qui avait subi la guerre et qui tentait péniblement de se reconstruire. Il n'y avait pas beaucoup d'aide pour les réfugiés comme nous. Nous vivions dans une grande pauvreté matérielle, mais heureusement, grâce à mes parents, nous étions riches au niveau de l'esprit. Par exemple, lorsque ma mère faisait de la couture, mon père sortait son violon et jouait des airs qui me transportaient dans un monde de féeries et de splendeurs. Maman avait réussi à conserver les livres apportés de Pologne lors de notre fuite. J'avais à peine cinq ans et j'entendais mon père lire du Zola à ma mère en polonais. C'est ce qui marqua mon enfance, beaucoup plus que le manque de nourriture, de chauffage ou d'eau courante. Pour une petite fille, le fait de grandir entre les airs de violon et la lecture de grands classiques constitue une richesse inestimable.

Maman m'enseignait aussi la fierté. Elle m'habillait toujours très proprement et me disait constamment : « Ma petite fille, tu n'as pas à avoir honte d'être pauvre. Nous n'avons pas gaspillé notre argent en étant ivrognes ou joueurs, c'est la guerre qui nous a amenés là. Alors, tiens-toi debout sans aucune honte ! »

Voyant qu'il n'y avait pas d'avenir possible pour nous en Belgique, mon père fit une demande à tous les pays ouverts à l'immigration. Ce fut le Canada qui répondit en premier. C'est ainsi que je suis arrivée à Montréal avec ma famille à l'âge de neuf ans, en décembre 1951, le jour de la Saint-Nicolas. Je me souviens qu'il neigeait et que le froid transperçait mes vêtements trop légers. Nous nous sommes retrouvés dans une petite chambre minable du quartier Saint-Henri. Je dormais sur un matelas rempli de punaises qui me forçaient à me gratter continuellement, mais malgré tous ces désagréments, la vie me semblait pleine d'espoir dans cette nouvelle terre d'accueil.

Le souvenir que je garde aujourd'hui de mon enfance n'est pas la misère dans laquelle nous étions plongés malgré nous, mais toute la richesse d'esprit qui enrobait cette pauvreté matérielle et la grande force morale qui en découla. Je suis fière de mes origines et me considère chanceuse d'avoir eu des parents qui m'ont transmis le goût d'apprendre et d'aller vers la nouveauté avec confiance et espoir.

La leçon que j'ai retirée de mon vécu d'enfant est qu'il n'y a rien d'impossible, malgré les obstacles placés sur notre route. Toute ma vie, je me suis tenue droite face à l'adversité, persuadée que je passerais à travers toutes les difficultés. En tant que survivante de la guerre, j'ai aussi compris très jeune l'importance de demeurer à l'écoute de la vie, dans un état d'ouverture et de disponibilité, afin de pouvoir attraper le bonheur en plein vol, au moment où il passe.

Brigitte Purkhardt

LA VIE MÈNE DROITEMENT, PAR DES SENTIERS TORTUEUX

*L*a vie nous semble souvent ingrate, multipliant les obstacles sur notre route, nous donnant parfois l'impression d'un cul-de-sac et nous obligeant à de multiples détours pour atteindre notre but. Mon expérience prouve pourtant, qu'en réalité, elle nous conduit directement là où nous devons aller.

À l'adolescence, j'étais directeur de la chorale à l'église de ma paroisse, à Thetford-Mines, et comme j'avais une très belle voix, l'occasion me fut offerte de faire carrière dans le chant classique. J'étais au septième ciel. Je me voyais déjà voyageant d'un pays à l'autre, chantant les grands opéras sur les scènes du monde entier.

Ma santé quelque peu fragile m'amena à consulter le médecin qui en accusa mes amygdales. J'essayai d'argumenter en disant que je n'avais pas mal à la gorge, mais au ventre. On m'assura que mes amygdales étaient en cause, qu'elles empoisonnaient mon système et qu'il fallait les enlever. Je désirais à tout prix poursuivre la carrière de rêve qui se présentait à moi et j'acceptai l'opération de bonne grâce, croyant améliorer ainsi ma santé. Hélas! mon timbre de voix changea complètement au lendemain de la chirurgie. C'était une véritable catastrophe! Ma carrière de chanteur venait de se terminer avant même d'avoir commencé. Moralement dévasté, je me suis alors demandé : « Ma vie est-elle finie ? Est-ce la mort qui m'attend ? »

Les jours qui suivirent cette grande déception furent extrêmement pénibles, mais je finis par réaliser que ce n'était pas la fin du monde. La géographie m'avait toujours intéressé. La configuration géologique de la planète Terre m'impressionnait ainsi que toutes les beautés de la nature. Je consultais de nombreux livres magnifiquement illustrés et j'emmagasinais, dans ma bibliothèque intérieure, tous les merveilleux paysages que je découvrais sur papier, me disant qu'un jour j'irais les admirer sur place. Mon rêve de chanteur d'opéra sur la scène internationale s'était écroulé, mais un autre rêve naissait dans le secret de mon cœur : je ferais le tour du monde.

Nous demeurions près d'un terrain de golf et je m'intéressais aussi à ce sport. Tout jeune, je me fabriquais des bâtons rudimentaires avec des branches tordues ou des tiges de fer que je *crochissais* dans les fentes de la galerie et je m'entraînais à lancer des balles dans le champ des vaches. Puis je suis devenu *caddie* au club de golf. Impressionné par mon élan et mon habileté à lancer des balles, un golfeur expérimenté m'offrit un équipement qui ne lui servait plus. Je pouvais désormais pratiquer dans le pacage, avec de véritables bâtons. Mais il m'arrivait aussi de jouer en cachette avec mes amis, au crépuscule, sur le vrai terrain de golf. Nous nous sauvions à toutes jambes lorsque surgissait le professionnel du terrain, qui, heureusement, n'a jamais pu nous identifier.

L'année suivante, je fus nommé l'« assistant-pro ». On commença à remarquer mon talent. On aimait mon style de jeu et on m'autorisait parfois à jouer avec les membres. Je devins ensuite membre officiel du club et j'eus le droit de participer à tous les tournois. Dès la première année, je remportai le championnat du club et il en fut de même pendant quatre ans consécutifs. La quatrième année, j'avais obtenu dix-sept coups de priorité, du jamais vu dans les tournois mondiaux.

D'autres prouesses suivirent, à travers diverses compétitions. Mon développement étant des plus spectaculaires, on me conseilla alors de me lancer dans le golf professionnel. Je fus invité à jouer une partie d'exhibition. Cette partie s'avérait extrêmement importante, car si j'arrivais à me démarquer, je pourrais obtenir un contrat lucratif avec la Dominion Textile, une grosse compagnie de l'époque. On prévoyait m'engager pour représenter la compagnie dans les tournois de l'Ouest du Canada. Cette nouvelle perspective de carrière m'enchantait. À défaut de pouvoir chanter à travers le monde, je me voyais parcourir le pays en jouant au golf, mon sport préféré.

La nuit précédant cette partie qui devait changer le cours de ma vie, comble de malheur, je fis une crise d'appendicite aiguë, qui fut suivie d'une péritonite. Mon rêve de carrière s'écroulait encore une fois, brusquement. Je ne savais que penser, me disant : «Est-ce la fin... ou simplement une autre fin?»

L'année suivante, on me proposa de participer à nouveau à la partie d'exhibition. Je souhaitais pouvoir me reprendre, mais ma santé chancelante me limitait. Des amis me recommandèrent de consulter un chiropraticien. «Je n'ai pas mal dans le dos, leur répliquai-je, j'ai mal au ventre.» Ils m'expliquèrent alors que le chiropraticien travaille le long de la colonne vertébrale pour ouvrir les circuits nerveux, que cela permet à l'énergie de circuler partout dans l'organisme et que ce dernier se répare lui-même. Cette explication me parut sensée et, de toute façon, je n'avais pas d'autre alternative. Je me rendis donc à Sherbrooke, à plusieurs kilomètres de mon domicile, consulter un chiropraticien. Les traitements eurent d'abord lieu trois fois par semaine. Je me débrouillai pour me trouver un petit travail afin de pouvoir en défrayer le coût. Je devins cireur de chaussures, à dix sous la paire, dans un hôtel de Sherbrooke.

Ma santé s'améliorait considérablement au fil des mois. Le chiropraticien, avec qui je conversais régulièrement, ne cessait de me dire que la profession avait besoin de relève. Nous étions à la fin des années trente et, à l'époque, la province de Québec comptait à peine une quinzaine de diplômés dans ce domaine. L'idée fit son chemin à l'intérieur de moi. Six mois après le début des traitements, je me sentais en pleine forme et me découvrais un nouveau but : je me consacrerais à soulager l'humanité souffrante.

J'étais fermement déterminé à atteindre mon objectif, mais je faisais face, dès le départ, à un obstacle majeur. La Deuxième Guerre mondiale venait de commencer et les jeunes hommes d'âge militaire n'avaient pas le droit de sortir du pays, assujettis à l'ordre d'être appelés, à tout moment, sous les drapeaux. Comme le cours de chiropratique se donnait aux États-Unis, il me fallait une permission spéciale pour passer la frontière canado-américaine.

Mon troisième rêve de carrière risquait lui aussi d'avorter avant même de débuter. J'étais désespéré. Je fis des pieds et des mains, multipliant les démarches pour réussir à obtenir les papiers nécessaires. Au bout de plusieurs jours et d'interminables nuits blanches, bouillant d'impatience, j'obtins enfin mon passeport en règle. Je n'eus pas de difficulté à me trouver du financement, mon audacieux projet suscitant l'admiration générale. Je pliai bagage et me rendis aux États-Unis pour y étudier la chiropratique. J'étais très fier d'avoir réussi à surmonter tous les obstacles afin d'entreprendre, après de multiples détours, une carrière dans un domaine qui me passionnait.

Quelques années plus tard, mes études terminées, j'installai mon bureau à Thetford Mines, chez mes parents. Peu de temps après, ma salle d'attente était remplie. Je travaillais seize heures par jour afin de répondre aux besoins d'une clientèle extrêmement satisfaite, qui ne cessait d'augmenter. À l'intérieur d'un an, ayant remboursé tous mes emprunts, j'étais bien au-dessus de mes affaires. Ce succès aurait dû me combler, si ce n'est que l'aventure m'obsédait davantage que les revenus financiers. Je ne cessais de penser à toutes les images puisées dans les livres au cours de ma jeunesse, à la beauté des paysages, à la splendeur des montagnes les plus hautes du monde. J'imaginais le panorama, vu de là-haut... Quelle merveille cela devait être ! Mon rêve de voyager autour du monde refaisait surface et devenait de plus en plus insistant.

Mais ce voyage, je ressentais qu'il me fallait le préparer minutieusement. Je me trouvai un remplaçant, lui fis don de ma clientèle, et décidai de partir vers la France, où j'allais pouvoir vivre et travailler avec un confrère parisien.

J'entamais aussi une recherche personnelle. J'étais captivé par les secrets de l'histoire, leur mystique cachée, et ma curiosité m'amena à fréquenter la Salle de la Société savante. Je fouillai dans les vieux documents historiques, explorant les résultats des grandes recherches, m'attardant au symbolisme, à l'interprétation ésotérique des écrits sacrés, etc. J'eus accès à des documents soi-disant secrets et j'accumulai des informations inusitées.

Je revins au Québec avec une valise remplie de livres et de documents subtils et compromettants, en ce qui concerne le fondement des croyances. Heureusement, les agents de douanes omirent de vérifier mes livres, me prenant pour un étudiant. Ces volumes étaient à l'index et auraient pu me valoir l'excommunication dans la société de l'époque dominée par le rigorisme religieux. Je pris le temps de lire tous ces documents au retour, et j'en fis une synthèse. Le voyage autour du monde que je mûrissais intérieurement depuis des années s'imposait maintenant avec vigueur. Il fallait que j'aille voir de mes yeux si ce que je venais d'apprendre était différent de ce qui m'avait été enseigné à ce jour.

C'est ainsi qu'en 1954, j'entrepris mon odyssée spirituelle, voyage autour du globe terrestre en quête de vérités nouvelles, qui dura plus d'un an. Ce ne fut pas un simple voyage touristique, découvrant des endroits historiques, des monuments, des vestiges ou des paysages. Ce fut une véritable quête, une démystification littéraire, intellectuelle et même spirituelle, racontée dans le livre *En quête de la Vérité, une odyssée spirituelle autour de la terre*. Les étapes de cette odyssée m'entraînèrent en des lieux mystérieux, parfois hypothétiques et, pourtant, à l'origine de nos croyances. À travers cette prodigieuse équipée, j'eus aussi à faire face à des drames, frôlant la mort de près à au moins trois reprises.

Au Viêt Nam, par exemple, je fus plongé malgré moi au cœur de la guerre contre les communistes. Je me retrouvai isolé dans un campement pendant des jours interminables, dans ce pays où régnaient peur, méfiance et doute, dans l'impossibilité de fuir sans risquer d'être abattu par un soldat me prenant pour un espion. Devoir ainsi faire face à la mort m'a permis de me sentir très proche de la vie et d'en apprécier les bons moments.

Lors de mon séjour en Inde, je marchais paisiblement vers l'ambassade lorsque j'entendis le sifflement d'un boulet de canon qui frôla mon oreille. Je vis avec stupeur une noix de coco éclater en mille miettes contre un arbre. Si ce projectile lancé avec une telle force m'avait atteint à la tête, je serais assurément mort sur-le-champ.

Plus tard, survolant la Palestine, je filmai le paysage du haut des airs sans me douter des ennuis que cela me causerait. Dès ma descente d'avion, je fus conduit au poste de police pour y être interrogé. Le pays était en guerre et on me soupçonnait d'être un espion à la solde de l'ennemi. On m'avisa que j'étais passible d'emprisonnement à vie et qu'on pouvait même me fusiller sans préavis, en tant que prisonnier de guerre. Je m'en sortis heureusement indemne, grâce à l'intervention providentielle des Pères dominicains qui me prirent sous leur protection.

Aujourd'hui octogénaire, il m'arrive de repenser au long et sinueux chemin parcouru depuis mon adolescence. Je réalise alors, avec le recul, que *la vie mène droitement, par des sentiers tortueux*. En effet, ce fut une véritable chance que ma carrière dans le chant classique soit interrompue par cette «supposée» amygdalite, car cela m'a permis de modifier ma route. Mais où serais-je, si je m'étais laissé emporté par le désespoir et que j'avais sombré dans la dépression?

Ma deuxième opportunité, celle d'une carrière idéale dans le domaine du golf professionnel que j'adorais, fut interrompue par une autre chirurgie, justifiée ou non, il est difficile de le savoir aujourd'hui. Il s'agissait peut-être d'une simple crise digestive. Que serais-je devenu si j'avais capitulé à ce moment-là, ignorant que ces soi-disant malchances étaient en réalité des balises me signalant la route à suivre ?

De même, lorsqu'une troisième carrière s'est présentée à moi, pendant la Deuxième Guerre mondiale, j'aurais pu baisser les bras en constatant que je ne pouvais pas quitter le pays pour aller étudier aux États-Unis. Que serait-il alors advenu de ma vie ?

Et, par la suite, si j'avais étouffé mon rêve d'aventure autour de la terre pour accorder la priorité à la sécurité financière, quel aurait été mon avenir ? Me serais-je éteint intérieurement, avant de m'éteindre physiquement ?

Heureusement, j'étais très audacieux, doté d'une persévérance à toute épreuve et, surtout, capable de m'adapter aux événements qui surgissaient à l'improviste, changeant brusquement mes plans. C'est ce qui m'a permis de me rendre au bout de mes rêves, à travers les sentiers tortueux de la vie.

Mes réflexions me portent à croire que, malgré les apparences, la vie nous mène toujours là où nous avons quelque chose à apprendre. L'attitude face à ce qui nous arrive est une clé maîtresse dans la majorité des circonstances où nous sommes appelés à réagir et, surtout, à bien réagir. Nous ne pouvons transformer l'inévitable, mais en le contrôlant, nous pouvons jouer le miraculeux pouvoir de nos attitudes, ces cordes merveilleuses qui possèdent une étonnante capacité d'adaptation.

Toujours en harmonie avec l'ordre des choses, ce cheminement m'a aussi permis de participer à l'expansion de la génération humaine, en vivant près d'une épouse associée à tous mes travaux, père de deux bons et beaux enfants, grand-père de deux remarquables petits-enfants. Je rends gloire à la Providence qui dirige la vie de tous et chacun avec une « Main » invisible et sage !

Robert L. Gagné

POURQUOI PAS LE BONHEUR ?

Je suis persuadée qu'il n'y a pas de hasard dans la vie et qu'il faut saisir les occasions au moment où elles passent. Personnellement, j'ai une formation de juriste et je n'aurais jamais imaginé que je deviendrais un jour auteure de livres sur la pensée positive, ni que cela transformerait complètement ma vie.

J'étais dans la vingtaine avancée et je demeurais à Montréal au moment où tout a commencé. Je me sentais «mal dans ma peau» et cherchais une solution à mes nombreux problèmes d'ordre émotionnel, affectif, physique et même financier, car j'avais de grosses dettes d'études à rembourser. J'ai alors pensé consulter un voyant qui lisait dans les lignes de la main. Je voulais à tout prix qu'il me dise si mon fiancé de l'époque deviendrait mon mari. Il me répondit par la négative, affirmant que mon idéal de vivre en couple serait atteint beaucoup plus tard dans ma vie. Il ajouta que je serais connue dans un domaine où je n'avais pas étudié. Je suis sortie de son bureau en larmes, extrêmement déçue et persuadée que cet homme était complètement dans l'erreur.

À cette même époque, je devais aller en vacances en Floride avec mon fiancé, mais il eut un empêchement de dernière minute. Partir seule engendrait des coûts supplémentaires qui risquaient de défoncer mon budget déjà serré. De plus, j'étais craintive de voyager sans être accompagnée. Après y avoir réfléchi, je décidai tout de même d'y aller. J'ignorais que cette décision était extrêmement importante. Ce voyage allait en effet me permettre de faire une rencontre qui changerait complètement ma destinée.

À Miami, profitant d'un moment de détente au bord de la mer, j'engageai la conversation en anglais avec Jerry, un Torontois plus âgé que moi, professeur au niveau universitaire. Je connaissais très peu la langue anglaise et j'avais de la difficulté à comprendre ce que Jerry tentait de m'expliquer. Il me parlait sans cesse d'une chose qui m'était complètement inconnue : la psychocybernétique. Il me conseilla la lecture du livre du docteur Maxwell Maltz, *Live and be Free thru Psychocybernetics*. Il m'écrivit la référence sur un bout de papier et insista fortement pour que je me procure ce livre qui, selon lui, devait révolutionner ma vie.

De retour à Montréal, je me rendis dans une librairie pour acheter le volume en question. Je ne maîtrisais pas du tout la langue anglaise et fus étonnée de comprendre aussi facilement le contenu de ce livre qui me passionna de plus en plus à mesure que ma lecture progressait. Le docteur Maltz, chirurgien esthétique, s'était penché sur ce qui rendait les gens heureux ou malheureux, à commencer par sa clientèle. Ses recherches l'avaient amené à étudier le fonctionnement du conscient et de l'inconscient chez l'être humain. Il avait constaté qu'en apprenant à utiliser son subconscient, et en persévérant au moins vingt et un jours, un être humain se donnait la chance d'atteindre avec succès les objectifs souhaités, dans une sphère ou l'autre de sa vie.

Cette nouvelle connaissance des facultés inconscientes fut une véritable révélation pour moi. Tout cela me semblait cependant si simple que le doute prit bientôt le dessus sur mon enthousiasme. Était-ce réellement possible de transformer ainsi sa vie ? Le docteur Maltz lançait le défi à ses lecteurs d'expérimenter cette réalité et je me sentais interpellée. Il faisait cependant une mise en garde, alléguant que la majorité des gens n'étaient pas suffisamment persévérants et abandonnaient après une semaine d'efforts. Après avoir bien réfléchi à tout ce que le docteur Maltz disait, je décidai de développer une méthode concrète pour mettre en pratique ses idées. De là est née ma méthode de programmation du subconscient.

Au début, je chantais mes programmations sur des airs connus, mais je m'aperçus rapidement que j'avais de la difficulté à suivre le calendrier. Une nouvelle idée surgit donc dans ma tête : pourquoi ne pas écrire mes programmations sur de petites fiches individuelles en ajoutant, sur chacune d'elles, un calendrier avec vingt et une cases représentant les vingt et un jours – période maximale – nécessaires au subconscient pour enregistrer un message et y donner suite d'une façon ou d'une autre. À chaque nouvelle programmation, je prenais soin d'indiquer les dates sur le calendrier et de mettre un crochet pour chaque jour d'utilisation. À ma grande surprise, ma vie prit un tournant spectaculaire.

Depuis dix ans, j'étais obsédée par mon poids qui oscillait constamment. Je soumettais mon corps à des jeûnes et régimes amaigrissants de toutes sortes, suivis de périodes où je perdais le contrôle et me gavais de nourriture pour finir par vomir. J'ai compris des années plus tard, en voyant des reportages sur le sujet, que j'avais souffert d'anorexie-boulimie. La programmation du subconscient me permit d'éliminer définitivement ce grave problème. Je réussis à stabiliser mon poids, tout en mangeant normalement. Puis je cessai de fumer à l'aide de cette méthode. J'arrivai aussi à vaincre ma timidité, ce qui m'amena à m'ouvrir aux autres. De plus, cette méthode me permit d'améliorer ma condition matérielle et l'environnement dans lequel je vivais.

Le seul domaine où je n'avais pas le succès attendu était ma vie amoureuse. Mon fiancé m'avait quittée comme me l'avait prédit Jean, l'homme qui lisait dans les lignes de la main, et je recherchais toujours l'âme sœur. Je réalise aujourd'hui à quel point je manquais de discernement et de maturité affective. Je persistais à dire : «Je veux *une telle* personne dans ma vie», au lieu de me programmer pour avoir une vie amoureuse harmonieuse avec une personne correspondant à mes valeurs.

Les réussites continuèrent de s'accumuler dans ma vie personnelle et professionnelle. J'avais maintenant un nouveau compagnon, un nouvel emploi stimulant et je devenais de plus en plus épanouie. Les gens de mon entourage remarquèrent bientôt le changement qui s'opérait chez moi et voulurent en connaître la raison. J'hésitais à en parler ouvertement, car je craignais le jugement des autres. Vers la fin des années 70, la solution aux problèmes physiques et psychologiques relevait exclusivement des médecins et des psychologues ou psychiatres. Je n'avais jamais entendu quelqu'un parler devant moi du fait qu'on pouvait se prendre en main en utilisant son propre potentiel pour venir à bout de ses malaises. Je livrais donc mes découvertes avec prudence, seulement aux gens en qui j'avais confiance. Je dus bientôt me rendre à l'évidence que mon succès ne dépendait pas du hasard et que la programmation fonctionnait aussi pour les autres.

Je prenais conscience de l'ampleur de ma découverte et me disais que je devais absolument la partager. Il fallait que tout le monde, du plus jeune au plus vieux, connaisse cette méthode révolutionnaire et pourtant si simple, pour pouvoir l'utiliser et améliorer sa vie à tous les niveaux.

J'ai donc imaginé une centaine de programmations sur différents thèmes, comme l'amour, le bonheur, les relations amicales, le poids idéal, etc., et j'ai écrit celles-ci sur des fiches individuelles qui étaient un outil facile à utiliser. Je pensais faire un «jeu de cartes du bonheur» avec ces fiches-messages. Ainsi, me disais-je avec optimisme, les gens déprimés n'auraient qu'à lire mes programmations diverses et cela les aiderait sûrement à sortir du mal de vivre dans lequel ils étaient plongés.

Il me fallait maintenant trouver la personne qui accepterait de publier mes fiches. Un collègue de travail de mon frère Louis me suggéra de communiquer avec monsieur André Bastien, qui venait tout juste de fonder la maison d'édition Libre Expression, avec sa conjointe, madame Carole Levert.

Je pris rendez-vous avec monsieur Bastien pour lui présenter mon projet. Je lui parlai avec beaucoup d'enthousiasme et lui montrai mes fiches-messages ainsi qu'une série de questions et réponses sur le subconscient, son rôle, son fonctionnement, etc. Ces questions et réponses que j'avais préparées devaient, selon moi, accompagner les fiches et constituer, somme toute, le manuel d'instructions de ce «jeu du bonheur». Simple et efficace! Tout ce que je désirais, c'est que la maison d'édition publie mes fiches sous forme de jeu de cartes ainsi que mon guide d'utilisation.

Monsieur Bastien m'écouta attentivement. Me regardant avec un scepticisme évident, il me dit quelque chose qui pourrait ressembler à ce qui suit: «Est-ce que cette méthode fonctionne vraiment? À vous regarder si épanouie et enthousiaste, il m'est difficile de vous imaginer telle que vous vous décrivez avant d'avoir commencé ce cheminement et l'utilisation de cette méthode.»

Je ne me souviens évidemment pas avec exactitude des mots employés par l'éditeur lors de cette première rencontre, mais je me souviens qu'ils m'ont fait l'effet d'un déclencheur pour lui démontrer que je disais la vérité, toute la vérité, rien que la vérité. Après tout, ne suis-je pas avocate! Je lui répondis sans hésiter: «Je vous assure que ça marche, pas seulement pour moi, mais aussi pour plusieurs de mes amis qui l'ont essayé avec succès.»

Monsieur Bastien me posa alors une question qui a changé le cours de ma vie: «Vous me dites qu'on peut programmer à peu près n'importe quoi. Pouvez-vous également vous programmer pour écrire un livre?»

– Bien sûr! Je vous dis que ça fonctionne pour tout ce qu'on veut obtenir.

– Combien de temps auriez-vous besoin pour écrire deux à trois cents pages?

– Un mois!

– C'est parfait! Je vous attends dans quatre semaines avec votre manuscrit.

En l'écoutant, je fus saisie d'un sentiment d'euphorie, mais de panique en même temps. «Quoi! Vous êtes vraiment sérieux!»

J'avais naïvement joué le jeu, croyant qu'il s'agissait d'une blague et j'étais maintenant prise au piège. Jamais, au grand jamais, l'idée d'écrire un livre ne m'avait effleurée auparavant. Je sortis du bureau de l'éditeur complètement bouleversée, le cœur battant la chamade. Pourquoi et comment n'ai-je pas reculé et suis-je sortie de la maison d'édition avec la promesse d'écrire un livre en un si court laps de temps? Je réalise aujourd'hui que mes guides étaient sûrement présents à cette rencontre mémorable et m'ont donné le courage nécessaire pour continuer la démarche.

Lorsque je m'engage dans un projet, j'y vais toujours à fond. Il fallait maintenant que je prouve à monsieur Bastien que ma méthode fonctionnait, mais je n'avais aucune idée de la façon dont j'allais m'y prendre. Je pris le métro et me rendis directement chez Jean, l'homme qui m'avait lu les lignes de la main et qui est devenu mon ami par la suite. Jean est aussi guérisseur et il communique avec l'âme des défunts. Je lui dis, complètement paniquée: «L'éditeur de Libre Expression m'a demandé d'écrire un livre et j'ai accepté. Je ne suis pas écrivaine, comment vais-je faire pour respecter mon engagement?»

– Tu es instruite, alors il n'y a pas de problème. Tu n'as qu'à demander à un grand auteur connu décédé de t'aider dans ton écriture et tu vas y arriver facilement.

Facile à dire, mais plus difficile à croire. Je travaillais à temps plein et n'avais que les fins de semaine de temps libre. Je n'étais pas outillée non plus pour écrire un livre, avec ma petite dactylo manuelle Smith Corona. Qu'à cela ne tienne, je décidai de m'atteler courageusement à la tâche. Je pris un paquet d'environ deux cents feuilles que je divisai en quatre piles. «Voilà, me dis-je avec détermination, je ne me coucherai pas dimanche soir avant d'avoir noirci une de ces piles de mon écriture.»

Au moment où je m'étais rendue chez Jean, en métro, une foule d'idées concernant le livre m'avaient assaillie tout au long du trajet. Mais lorsque je me suis assise devant ma première pile de feuilles blanches sur lesquelles j'ai laissé courir mon crayon, ce n'était pas du tout les mêmes idées qui s'exprimaient sur papier. L'inspiration qui coulait à flots s'est éteinte momentanément et j'ai entrepris de tout retranscrire à la dactylo, à double interligne, tel que demandé par l'éditeur.

Dans les jours qui ont suivi, fière de moi, j'ai téléphoné au collègue de mon frère qui m'avait suggéré de joindre monsieur Bastien pour lui raconter les suites de ma démarche. Cet homme avait fait des études en littérature et il m'apprit que j'utilisais une des méthodes préférées de Victor Hugo. Ce dernier, paraît-il, se disciplinait en plaçant une pile de feuilles vierges devant lui qu'il se faisait un devoir de remplir au complet. Je compris alors que mon protecteur dans l'au-delà n'était autre que... Victor Hugo lui-même.

Quatre semaines plus tard, lorsque je me présentai au bureau de monsieur Bastien avec mon manuscrit contenant tous les chapitres, celui-ci fut fortement impressionné. Il accepta de le lire et le trouva tellement intéressant qu'il le fit lire à Carole, sa conjointe et associée. Il demanda aussi l'opinion d'un réviseur de Libre Expression qui, après l'avoir lu à son tour, partagea leurs conclusions. Tous trois étaient unanimes : ils avaient espoir de détenir un *best-seller* entre leurs mains. Il faut également ajouter que les trois personnes en question n'étaient pas du même âge ni de la même décennie et se sentaient néanmoins interpellées par le contenu du manuscrit. Certains livres visent un public très ciblé, mais cette fois, il semblait que le contenu de mon manuscrit pouvait tout aussi bien venir en aide aux très jeunes personnes comme aux gens âgés. Le bien-être physique, mental et spirituel n'a pas d'âge et il n'est jamais trop tôt ni trop tard pour fréquenter l'école du bonheur !

Je fus surprise, mais ravie, d'apprendre que mon manuscrit serait publié, car je pensais qu'il s'agissait d'un simple test pour vérifier si ma méthode de programmation marchait vraiment. Cette première version fut retravaillée par la suite, bien sûr, mais la base initiale avec tous les chapitres fut conservée et mon style direct, respecté. Je n'en revenais pas d'avoir écrit un livre aussi rapidement, moi qui n'avais jamais étudié en littérature. J'ai compris, par cette expérience, qu'on pouvait être « auteure » sans être écrivaine. Cette distinction est importante pour moi. Je considère en effet que le travail d'écrivain est un art qui n'est pas accessible à tous. Devenir auteur l'est davantage. Lorsqu'on a un message bien précis et universel à donner, l'écriture est certes un véhicule de choix accessible à bien des gens.

Le livre *Pourquoi pas le Bonheur?* a fait partie de la première série de publications de la maison d'édition Libre Expression, à l'automne 1979. À ce jour, il s'est vendu à plus de cent vingt mille exemplaires, au Québec seulement. J'ai reçu une quantité imposante de courrier provenant de gens qui utilisaient ma méthode de programmation avec succès. Certains élèves ont même dépassé le maître en obtenant des résultats spectaculaires dans leur vie.

J'avais toujours souhaité gagner à la loterie pour pouvoir payer mes dettes d'études qui s'élevaient à plus de dix mille dollars, somme considérable à l'époque, mais cela ne s'était jamais produit. L'argent m'arriva sous une autre forme, et grâce à mon premier chèque de droits d'auteur, je pus rembourser intégralement ce qui restait à payer de mon prêt étudiant.

Depuis ma découverte de l'utilisation volontaire du subconscient, la magie a continué d'être présente dans ma vie et cinq autres livres ont suivi cette première parution, au fil des ans.

La programmation est un outil merveilleux qui, combiné avec d'autres tout aussi efficaces, m'a permis de transformer ma vie en profondeur, tant au point de vue physique, mental, émotionnel que spirituel. Le livre *Pourquoi pas le Bonheur?*, initialement écrit dans le but de partager mes découvertes avec le plus de gens possible, a aussi contribué à rendre plus agréable la vie de tous ceux et celles qui ont décidé de ne pas me croire sur parole, mais plutôt d'expérimenter ce que je leur proposais, pour leur plus grand bonheur.

Plusieurs expériences de la vie nous transforment. Certaines d'entre elles laissent des traces qui nous suivent tout au long de notre existence. Lorsqu'on écrit un livre, les traces se font encore plus profondes et nous permettent de continuer, même après notre décès, de partager avec nos frères et nos sœurs de la terre des étincelles d'espoir. La petite Thérèse de Lisieux a dit, sur son lit de mort, qu'elle ferait tomber sur la terre une pluie de roses. Je peux vous garantir, par expérience personnelle, qu'elle a tenu parole. Pour ma part, je fais le vœu de continuer, avant et après mon décès, à faire tomber une pluie de mots qui se veulent des petites lumières d'amour et d'espoir pour tous mes lecteurs.

Michèle Morgan

5

DES TÉMOIGNAGES
DE FRATERNITÉ

La paix et la guerre commencent à l'intérieur de chaque foyer. Si nous voulons vraiment que la paix règne sur le monde, commençons par nous aimer les uns les autres, au sein de chaque famille.

Mère Teresa

LA GRANDE PORTÉE DES MOTS

*E*n tant qu'animateur et humoriste, j'ai la chance d'exercer un métier public et de bénéficier ainsi d'une certaine écoute auprès des gens. J'ai toujours cru que les mots que l'on prononçait avaient leur importance, mais je n'en soupçonnais pas toute la portée, jusqu'au jour où un événement marquant me le démontra très clairement.

Il y a une vingtaine d'années, j'habitais la campagne et chaque semaine, mon retour à la maison était agrémenté d'un arrêt à la boulangerie locale. Le pain était excellent, bien sûr, et les propriétaires des plus accueillants, mais ce qui faisait le charme particulier de l'endroit, c'était la présence d'un petit garçon d'environ cinq ans, beau comme un ange. Il se tenait sagement près de la caisse et plaçait les pains dans des sacs qu'il remettait aux clients avec son plus beau sourire. Son air épanoui dénotait toute la joie qu'il éprouvait de pouvoir aider ses parents.

Je déménageai et fus quelques mois sans passer à la boulangerie. Lorsque j'y retournai, le petit garçon n'était pas à son poste habituel et je questionnai la boulangère du regard. Celle-ci comprit immédiatement que je n'étais pas au courant de la situation. «Nous avons perdu notre fils, me dit-elle alors tristement. Il a été emporté par une maladie rare et terrifiante. Lorsque nous l'avons appris, il ne lui restait que deux semaines à vivre...»

Je fus atterré par une si triste nouvelle, mais mon bouleversement atteint son paroxysme lorsque la boulangère ajouta : «Après avoir perdu notre fils, nous étions complètement anéantis, mon mari et moi, et ne savions pas à quoi nous raccrocher pour ne pas sombrer dans le désespoir. Nous avons continué à faire du pain, tentant de survivre, tant bien que mal. La radio jouait comme d'habitude dans la boulangerie, et un jour, nous vous avons entendu lors d'une entrevue. Vous racontiez que vos parents avaient perdu un enfant...»

Je me souvenais parfaitement de cette entrevue diffusée sur les ondes de Radio-Canada. J'avais tout bonnement raconté le grand drame vécu par mes parents avant ma venue au monde. Ces derniers désiraient un enfant depuis huit ans lorsque le Ciel avait enfin répondu à leur demande. Ils furent comblés par l'arrivée d'un magnifique bébé plein de vie et en parfaite santé. Mais hélas, leur bonheur fut de courte durée. Mon frère Jacques décéda subitement à l'âge de trois mois, alors qu'il dormait bien emmailloté dans son carrosse sur le balcon, par une belle journée d'automne. J'imagine encore aujourd'hui l'immense désarroi de mes parents. Je pense qu'ils ont dû dire à la mort : «Tu ne gagneras pas sur la vie, car nous allons nous en fabriquer un autre.» Et c'est ainsi que je vins au monde, un an plus tard.

La dame ajouta : «En vous entendant ce matin-là, le déclic s'est fait dans ma tête. Je suis enceinte et ne pense maintenant qu'à la vie. Je suis contente de vous voir aujourd'hui, car je tenais à vous en remercier.»

À cet instant précis, j'ai vraiment ressenti mon appartenance à la grande famille humaine. J'ai compris tout le soutien que nous pouvions nous apporter les uns les autres, parfois sans même le savoir. Au moment où j'avais raconté sur les ondes l'épreuve de mes parents, je ne me serais jamais douté que mes paroles puissent avoir autant d'impact sur des gens en train de m'écouter.

La vie m'a ensuite amené ailleurs, et des années plus tard, lorsque je suis revenu dans le coin, la boulangerie était toujours là. Je suis entré dans l'établissement, me demandant si la dame me reconnaîtrait. Elle se souvenait de moi et semblait heureuse de me revoir. Après les banalités d'usage, je lui ai demandé : «Vous avez finalement réussi à passer au travers...?» Je ne poussai pas plus loin mon questionnement, comprenant, à son attitude, qu'elle ne souhaitait pas revenir sur le passé, sans doute par crainte de réveiller une blessure qui avait mis beaucoup de temps à guérir. J'allais repartir avec mon pain sous le bras lorsque la porte s'ouvrit, laissant apparaître une jeune fille d'une grande beauté. La boulangère me regarda sans dire un mot, puis tourna lentement les yeux du côté de sa fille et ramena ensuite son regard ému vers moi, comme pour me dire : «Voyez, c'est elle!» Un frisson me parcourut de la tête aux pieds et je sus que je n'oublierais jamais ce moment exceptionnel. Je me suis alors dit, en mon for intérieur : «La vie est magnifique!»

Cette expérience m'a rendu plus conscient de l'impact que peut avoir chacune de nos paroles et m'a amené à faire davantage attention à ce que je dis, que ce soit à l'intérieur d'une conversation privée ou lorsque j'anime un congrès ou donne un spectacle sur scène. Il ne s'agit pas alors de faire des gags uniquement pour faire rire les gens, mais d'utiliser l'humour pour parler des vraies valeurs et susciter une réflexion.

Je me considère un simple maillon dans la grande chaîne de la vie, mais je sais que chaque maillon est primordial, puisque chacun fortifie ou affaiblit la chaîne. J'apprends beaucoup en observant la vie et lorsque je suis à l'écoute, il m'arrive de capter de ces secondes exceptionnelles qui me relient encore plus étroitement à la grande famille humaine, à laquelle je suis heureux d'appartenir.

Jean-Guy Moreau

LIBRE ET RESPONSABLE

*L*es êtres que nous côtoyons ont tous quelque chose à nous apprendre, mais il arrive que l'un d'entre eux exerce une influence déterminante sur notre vie tout entière, comme ce fut le cas de celui que je considère comme mon mentor, Robert Gravel. J'ai eu le privilège de côtoyer cet être exceptionnel pendant neuf ans, et mes valeurs ainsi que ma philosophie de vie en ont été radicalement transformées.

Au début des années 1990, Robert a relevé le défi de monter une pièce, qu'il avait lui-même écrite, dans le cadre du théâtre expérimental de Montréal. Cette pièce dramatique, intitulée *Durocher, le milliardaire*, racontait l'histoire de trois cinéastes invités chez un milliardaire dans le but d'obtenir un financement d'un million de dollars. Tout au long de la pièce, tout ce beau monde fumait, prenait un verre et la discussion allait bon train, mais à mesure que les scènes se succédaient, la laideur humaine apparaissait chez les cinéastes, qui finissaient par s'en aller les mains vides, amers et déçus.

J'étais très enthousiaste à l'idée de faire partie de la distribution avec Jacques L'Heureux, Guylaine Tremblay, Violette Chauveau, Luc Proulx, Alexis Martin et Robert J. A. Paquet, mais j'étais loin de me douter dans quoi je m'embarquais et, surtout, à quel point l'attitude non conventionnelle de Robert me déstabiliserait.

Robert avait envie de faire quelque chose de différent et il défiait toutes les lois qui existent au théâtre. Par exemple, il exigea que le décor soit monté avec la couleur verte en prédominance. Le jeune décorateur, fraîchement émoulu d'une formation de trois ans au cours de laquelle ses professeurs lui avaient inculqué de ne jamais utiliser de vert dans son décor, fut tout d'abord indigné, avant d'accepter de se plier à cette exigence hors norme.

Ce fut tout aussi déroutant pour nous, les comédiens, qui avions l'habitude de répéter pendant au moins cent cinquante heures avant d'être prêts à jouer une pièce. Avec Robert, il suffisait de répéter une scène deux ou trois fois avant de l'entendre dire : « OK, c'est suffisant ! Il n'y aura qu'à ajouter les costumes et ça ira. » Le reste du temps alloué aux répétitions se passait à jaser de la vie. Nous ne savions pas ce qui allait ressortir de tout cela, mais nous étions forcés d'admettre que ces discussions s'avéraient beaucoup plus riches d'enseignements que toutes les heures de répétitions que nous aurions pu faire. Robert, qui n'aimait pas le mot « travail », nous rassurait en disant : « On explore et on va trouver à un moment donné. »

Tout le monde sait qu'il n'y a jamais d'alcool sur scène et que les comédiens boivent un liquide coloré imitant l'alcool. Robert nous prit tous par surprise en nous disant : « Je n'oblige personne à boire, mais je rêve depuis longtemps de prendre un bon verre de scotch sur scène, alors l'alcool sera permis à l'intérieur de la pièce. Vous êtes libres, mais cela signifie que vous êtes aussi responsables. »

Une autre loi incontournable au théâtre était de toujours être face aux spectateurs. Robert nous demanda non seulement de jouer en étant parfois de dos sur scène, mais aussi en parlant bas, ce qui ne s'était jamais fait. Il ne cherchait pas à provoquer le public, mais à capter l'attention des gens en les obligeant à s'avancer sur leurs sièges et à tendre l'oreille, au lieu de se contenter de recevoir passivement ce que nous avions à leur transmettre.

Le grand Bob, qui défiait toutes les règles, continua de nous surprendre lorsqu'il nous annonça, la veille de la première représentation : «Demain, on va fêter tous ensemble au restaurant avant de jouer.» Le soir de la Première, nous arrivâmes donc au théâtre après le public, revenant de fêter la pièce qui n'avait pas encore été jouée, ce qui nous semblait un non-sens.

Nous nous sommes retrouvés dans les coulisses et c'est alors qu'il se produisit un événement qui allait s'avérer fondamental dans ma vie. Robert nous demanda de faire *une ronde de l'amitié*. Avant de jouer une Première au théâtre, plusieurs comédiens ont l'habitude de circuler d'une loge à l'autre en se prodiguant des mots d'encouragement, d'autres vont offrir des fleurs en signe d'appréciation, mais je n'avais jamais vu personne se tenir par la main et la demande de Robert me sembla tout d'abord ridicule.

«Nous allons nous tenir la main, nous dit-il, et si quelqu'un veut témoigner de ce qu'il vit, il pourra le faire librement, sans jugement de la part des autres.» Robert fut le premier à prendre la parole ce soir-là pendant que nous nous tenions tous par la main. Il nous déclara : «Il se peut qu'il n'y ait plus personne dans la salle à la fin de cette représentation, mais je tiens à ce que vous sachiez que je vous aime et que vous êtes les meilleurs.» Wow! Mon cœur se remplit d'émotion en entendant un tel témoignage d'amour de la part d'un homme aussi exceptionnel.

Le résultat fut que, même s'il y avait de l'alcool sur scène, que nous jouions parfois en tournant le dos aux gens et que nous parlions tout bas, nous avons tout de même réussi à capter l'attention du dernier spectateur au fond de la salle. La pièce fut un succès. Il y eut cent cinquante représentations, dont une série à Paris et sa banlieue, ainsi qu'à Bruxelles. Un prix fut aussi attribué au décor, au grand bonheur du jeune décorateur qui avait réussi, tout comme nous, à surmonter son insécurité pour suivre Robert dans la marginalité.

Robert prônait la philosophie que tout le monde avait droit au bonheur et il nous enseignait à nous soucier du bien-être des autres. Par exemple, dans notre ronde de l'amitié, exercice que nous avons poursuivi au fil des ans, il nous a appris à nous tourner vers la personne qui osait verbaliser sa peine et à lui dire sincèrement: «Sache que je suis là et dis-moi si je peux faire quelque chose pour toi!» Ce fut toute une révélation pour moi qui venais d'un milieu où l'on justifiait le mensonge en disant: «Ce que l'autre ne sait pas ne lui fait aucun mal.»

Comme la plupart des participants, j'éprouvais de la réticence à accepter l'aide des autres au début, prétextant que j'allais me débrouiller seul avec mes problèmes. Mais petit à petit, j'appris à être vrai, à m'ouvrir aux autres et à verbaliser mes sentiments sans me juger et sans craindre d'être jugé, ce qui était un véritable cadeau. Je me découvrais une nouvelle famille, basée sur des relations sincères, et cela me procurait un bien-être intérieur fantastique de même qu'une plus grande ouverture de conscience.

Nous avions des discussions très profondes, Robert et moi, et ses conseils me furent d'une aide précieuse. Un jour, par exemple, il m'expliqua le principe de la spirale, tel qu'il le concevait, en disant: «Quand ça va bien dans le métier, la spirale est ascendante. Tu deviens de plus en plus populaire et tu t'élèves graduellement dans cette spirale. C'est là que tu dois prendre le temps de créer des liens avec les personnes que tu côtoies. Tu dois apprendre à les connaître, à les aimer, à apprécier ce qu'ils font, car le jour où tu vas redescendre, ça ira tellement vite que tu n'auras plus le temps de voir ces gens.»

Mon mentor m'apprenait ainsi l'importance de vivre l'«ici et maintenant», de développer des liens humains avec toute l'équipe de travail, non seulement avec les gens devant la caméra, mais aussi avec tous ceux qui travaillent derrière, dans l'anonymat. Je me suis efforcé d'appliquer ce principe dans la poursuite de ma carrière, entre autres, pendant les cinq années où j'ai animé l'émission télévisée *La guerre des clans*.

J'aimais Robert comme un père, et j'éprouvai une grande douleur lorsqu'il décéda subitement en 1996. Mais ce ne fut que quatre ans plus tard, à l'été 2000, que je réalisai à quel point il avait été important dans ma vie. Ce jour-là, je revenais d'un long circuit à vélo et je réfléchissais à ces notions de liberté et de responsabilité qui lui étaient si chères, lorsque la lumière se fit dans ma tête. Il m'apparut alors évident que Robert avait été placé sur ma route pour me permettre de comprendre et d'expérimenter que l'on pouvait être *libre* tout en étant *responsable*.

Je suis issu d'un mariage raté entre deux êtres diamétralement opposés. Mon père était un homme irresponsable, un flâneur qui ne songeait qu'à s'amuser et qui a même dû s'exiler pour échapper à ses créanciers. Mais ce «roi du faux chèque» était aussi un grand gentleman, un être libre et charmant à ses heures, qui possédait une très belle éducation, une grande classe et, surtout, un sens de la fête très développé. Son exemple m'avait amené à croire que la liberté allait de pair avec l'absence de responsabilité.

Ma mère était, au contraire, une personne très rigoureuse, extrêmement autoritaire, fière et orgueilleuse, qui travaillait durement pour nous faire vivre, ma sœur aînée et moi. Elle finit par foutre son mari à la porte, ce qui contribua à assainir le climat de violence qui régnait à la maison. À onze ans, je me sentais écartelé entre mes deux parents que j'aimais autant l'un que l'autre. Je ne comprenais pas pourquoi deux êtres, aussi formidables lorsque pris séparément, pouvaient devenir si insupportables lorsqu'ils étaient ensemble. J'en vins à penser que le sens de la liberté de mon père était incompatible avec le sens des responsabilités de ma mère.

Ce jour de l'an 2000, j'ai soudainement pris conscience que Robert incarnait cette dualité que je portais en moi et qui provenait de l'image que m'avaient projetée mes deux parents tout au long de mon enfance. En effet, Robert était un homme fondamentalement libre, tout en étant extrêmement travaillant et responsable. Il réussissait à concilier *liberté* et *responsabilité*, attributs qui m'avaient toujours semblé incompatibles lorsque j'observais mon père et ma mère, et c'est ce qui le rendait si exceptionnel à mes yeux.

J'ai écrit un jour, en faisant référence à Robert Gravel : «Je peux me percevoir comme un orphelin et pleurer sur mon sort, mais, en fait, je suis un riche héritier de l'avoir connu.» Car grâce à l'influence de ce merveilleux mentor, j'en suis arrivé à développer une nouvelle philosophie qui m'amène à vivre pleinement le moment présent, à m'intéresser aux gens qui travaillent à mes côtés et à entretenir avec eux des relations humaines qui vont au-delà des simples rapports professionnels.

Luc Senay

AU SECOURS DES MISÉREUX

*I*nfirmier-auxiliaire depuis quelques années, à quarante-deux ans, je me trouvais à un carrefour important de ma vie. Je demeurais à Shawinigan et j'avais fait parvenir mon dossier à une agence de placement en soins infirmiers de la région montréalaise qui m'avait offert du travail à plein temps. La perspective d'un emploi stable et bien rémunéré aurait dû me réjouir, mais je n'arrivais pas à me sentir à l'aise avec l'idée de déménager à Montréal, même si j'y avais déjà réservé un logement.

Trois jours plus tard, je fis un songe éveillé où je me vis dans la ville de Québec. J'ai compris que c'était là que je devais aller et j'ai tout de suite annulé mes démarches du côté de Montréal pour sauter dans le premier autobus en partance pour Québec. J'ignorais totalement ce qui m'attendait au bout du trajet. Au terminus de la basse-ville de Québec, je mis la main sur un journal où l'on annonçait un logement à prix modique, rue Saint-Félix. Je signai le bail le jour même, sans aucune hésitation, puis je revins à Shawinigan afin de préparer mon déménagement. Je n'avais plus de contact avec ma famille depuis des années. Ma seule famille, c'était maintenant mes deux chattes que j'adorais, Katze et Ti-mine.

Je déménageai à Québec avec mes amies félines, le 30 juin 1984, incertain de l'avenir, mais persuadé d'avoir pris la bonne décision. Je fus engagé par une agence de placement en soins infirmiers, pour effectuer des services privés à domicile. Peu après, on me confia les soins du docteur Desmeules, médecin pneumologue, fondateur de l'Hôpital Laval à Québec. Il devint mon unique patient, requérant mes services cinq jours par semaine. J'étais heureux de travailler auprès de cet homme et ne comptais pas mes heures qui se prolongeaient souvent très tard le soir. Lorsqu'il décéda un an plus tard, je me retrouvai sans emploi, l'agence n'ayant rien d'autre à m'offrir pour le moment. Je fis le tour des hôpitaux de la région, mais en vain.

J'étais admissible au chômage, mais comme l'agence tardait à me fournir un relevé d'emploi, je ne pouvais recevoir de prestations et je fus bientôt à court d'argent. Commença alors une véritable descente aux enfers. Complètement démoralisé, je me mis à errer dans les rues, réduit à ramasser les bouteilles vides qui traînaient afin de les vendre à l'épicerie en échange d'un peu de nourriture pour mes chattes et moi. Je partais de chez moi vers six heures le matin et je parcourais les quartiers populaires de la basse-ville, avant d'aboutir sur les Plaines d'Abraham, d'où je revenais par un autre chemin, toujours à la recherche de précieuses bouteilles vides. À l'époque, les canettes de métal n'existaient pas et les bouteilles de verre étaient très lourdes à transporter, surtout pour un petit homme épuisé et affamé.

De plus en plus angoissé, je m'enfonçais dans la déchéance et le désespoir, ne voyant plus aucune issue au bout de ma route. C'est ainsi que ce dimanche de mai 1986, j'ai quitté mon domicile de la rue Saint-Félix la mort dans l'âme, et me suis dirigé vers les Plaines d'Abraham avec l'intention de me suicider en me jetant du haut du Cap Diamant. L'imminence d'un gros orage rendait le ciel aussi noir que mes idées. Je me suis avancé au bord de l'escarpement et, au moment où j'allais me lancer dans le vide, mes deux chattes sont apparues devant mes yeux. Cette vision me figea sur place. Mes amies dépendaient de moi et je les aimais trop pour les abandonner ainsi. Je me laissai tomber par terre en sanglotant amèrement, sous une pluie diluvienne. J'avais atteint le fond du baril.

Je me suis soudain rappelé un épisode lointain de ma vie, où j'avais également songé au suicide. À l'âge de douze ans, j'étais allé dans le champ derrière chez moi, emportant un câble que j'avais attaché à une branche d'arbre avec la ferme intention de me pendre. Je m'étais retourné pour regarder une dernière fois vers la maison et j'avais alors aperçu ma mère sur la galerie, en train d'étendre des vêtements sur la corde à linge. Je n'avais pas pu lui faire autant de peine.

À l'époque, ma vie était un véritable enfer depuis un violent traumatisme subi deux ans auparavant. À dix ans, je passais des après-midi au Sanctuaire du Cap-de-la-Madeleine à faire le chemin de la croix avec une grande ferveur, les bras en croix. Ce jour-là, j'avais dépensé tout mon argent de poche et ne pouvais donc pas prendre l'autobus pour rentrer chez moi. Je décidai naïvement de faire de l'auto-stop. Un homme me fit monter à bord de sa voiture. Plutôt que de me laisser à Trois-Rivières comme je lui avais demandé, il m'amena dans un motel de la région et me viola très durement. Prétextant devoir aller aux toilettes, je me rhabillai rapidement pour m'enfuir à toutes jambes. Je courus à travers les champs, sous la pluie, traversant des ruisseaux dans l'eau jusqu'aux genoux avant d'arriver chez moi, épuisé. Je me jetai alors dans un trou sous la galerie, pleurant de désespoir. J'avais terriblement honte de ce qui venait de m'arriver et je tenais à ce que personne ne le sache, surtout pas mes parents.

J'avais enfoui ce secret au fond de moi et voilà que, des années plus tard, il refaisait douloureusement surface sur le bord du Cap Diamant, tandis que je me retrouvais en train de sangloter à nouveau sous la pluie. Je me demandais maintenant ce que j'allais faire de ma vie si je n'y mettais pas fin.

Je trouvai la force de me relever et marchai jusqu'à la rue Saint-Jean. Je m'arrêtai sur le parvis de l'église Saint-Jean-Baptiste pour m'abriter sous le porche. Mes pensées vagabondaient vers le passé et de nombreux souvenirs oubliés me revenaient en mémoire. Je me revis à l'âge de trois ans, observant ma grand-mère maternelle tandis qu'elle donnait des bains aux malades et les épongeait avec tendresse. Elle était infirmière pour la Croix-Rouge et, à la fin de la Deuxième Guerre mondiale, en 1945, elle dispensait des soins à domicile aux indigents. Elle se rendait aussi chez les nécessiteux pour leur apporter de la nourriture et des vêtements. Grand-mère m'amenait souvent avec elle. Assis bien tranquille dans mon coin, je ne me lassais pas de la regarder avec admiration, tandis qu'elle s'occupait des malades et des démunis avec beaucoup de compassion.

Je me rappelai aussi avoir voulu devenir médecin, puis prêtre et missionnaire. À dix-huit ans, je suis même entré dans un monastère cloîtré où je demeurai pendant cinq ans, avant de devoir retourner dans le monde à cause de ma santé chancelante.

Je pris conscience que j'avais toujours voulu vivre une union avec Dieu et que je me sentais maintenant perdu, loin de Lui. Ayant l'exemple de ma grand-mère en tête, j'ai alors pris une décision très importante qui allait changer radicalement ma vie : désormais, j'allais me suicider autrement, dédiant totalement ma vie à Dieu, en la mettant au service des plus démunis, des pauvres et des malades.

Je me rendis au presbytère de Saint-Roch où je rencontrai le curé Pierre-André Fournier. Je lui racontai ma triste vie sans rien lui cacher et lui parlai ensuite de mon désir de me consacrer aux autres. Je dus lui paraître sincère puisqu'il me donna les coordonnées de quatre malades de sa paroisse à qui je pouvais offrir du réconfort. Je commençai mes visites à domicile dès le lendemain.

J'adhérai aussi à un Centre de bénévolat. C'est là que j'appris, deux semaines plus tard, que Mère Teresa serait à Québec le lendemain. Un membre de l'évêché s'adressa aux bénévoles du Centre en disant : « Dépêchez-vous ! Vous devez trouver un malade à amener demain matin à la conférence de presse de Mère Teresa. Ce sera votre billet d'entrée pour la voir. »

J'admirais cette religieuse de Calcutta pour le travail humanitaire qu'elle accomplissait auprès des miséreux et il n'était pas question que je manque cette incroyable chance de la rencontrer. Tôt le lendemain, je me rendis chez un bénéficiaire âgé qui vivait seul et buvait de la bière à longueur de journée, assis dans son fauteuil roulant. Mère Teresa, dont il n'avait jamais entendu parler, ne l'intéressait aucunement et il préférait demeurer à la maison et boire tranquillement sa bière. Usant de persuasion, je finis par le convaincre de m'accompagner, à la toute dernière minute. Je l'installai dans un taxi, mis son fauteuil roulant dans le coffre arrière, pour filer sans plus tarder vers le Centre. Nous sommes arrivés de justesse à la salle de conférence où il y avait une centaine de personnes rassemblées, chaque bénévole étant accompagné de son bénéficiaire. On avait placé les gens en demi-cercle et on me relégua au fond de la salle avec mon patient.

Mère Teresa arriva quelques minutes plus tard. Ses yeux remplis de bonté se posèrent sur chacune des personnes présentes. On aurait dit qu'elle les connaissait toutes personnellement. Elle me regarda à deux ou trois reprises et je sentis mon cœur chavirer. Que d'amour dans ce regard ! C'est alors qu'elle se fraya un passage à travers les gens et vint directement à moi, plongeant son regard aimant dans le mien. Le monde autour de nous disparut subitement et je vécus l'extase ! Mère Teresa posa délicatement ses mains sur ma tête et pria pour moi. Profondément bouleversé, je lui demandai, en anglais, de m'amener en Inde avec elle pour l'aider dans son œuvre. Je formulais cette demande en toute sincérité, croyant qu'il s'agissait là de ma mission personnelle. Mais elle se contenta de me sourire en guise de réponse, continuant de me regarder longuement et paisiblement. Je compris que je n'avais pas à aller au bout du monde, car ma mission était ici, dans mon propre milieu, auprès des miséreux de mon quartier.

Alors que deux semaines auparavant je me préparais à me suicider, je venais de recevoir la grâce divine au contact de cette Sainte Mère. À travers son regard, j'avais acquis la certitude que j'étais dans le bon chemin et que ma véritable mission commençait.

On me référa ensuite de plus en plus de patients, dont certains en phase terminale de cancer. Je travaillais sans relâche du matin au soir, sept jours par semaine. J'arrivais à être efficace seize à dix-huit heures par jour, malgré les grippes et les différents malaises qui m'affectaient parfois. J'accompagnais les mourants jusqu'à la fin, je réclamais les corps de ceux qui n'avaient pas de famille et leur payais des funérailles à même mon maigre budget d'assisté social. J'étais devenu un esclave des pauvres, mais un esclave heureux, motivé par l'amour. J'ai accompli ce travail, seul, pendant douze ans.

Je m'occupais maintenant d'un millier de patients, ce qui m'occasionnait soixante visites à domicile par jour. J'avais un gros cas, Angéline, une dame âgée qui souffrait de la maladie d'Alzheimer en plus d'être paralysée et incontinente, que je devais visiter plusieurs fois par jour. La tâche devenait trop lourde pour un seul individu et je savais qu'il me faudrait bientôt organiser la relève. Six personnes, prêtes à m'aider bénévolement dans ma mission, m'avaient déjà contacté. Profondément croyant, je demandais à Dieu de me faire signe lorsque ce serait le temps d'assurer la relève. Je lui demandais aussi de me suggérer un nom pour mon œuvre.

Un vendredi, il pleuvait à torrent et je roulais à bicyclette pour aller donner des bains lorsque j'entendis le message suivant sur mon téléavertisseur : «Bonjour Gilles, c'est Nathalie Pitre de *Télévision Quatre Saisons*. Nous aimerions avoir vos commentaires au sujet de la mort de Mère Teresa.» Apprenant subitement le décès de cette sainte femme qui occupait une place privilégiée dans mon cœur depuis notre rencontre, j'éprouvai beaucoup de chagrin. Je continuai de rouler tandis que les larmes se mêlaient à l'eau de pluie qui ruisselait sur mon visage.

Je vis cependant un signe dans cet événement douloureux, et le soir même, je téléphonais aux six personnes inscrites sur ma liste de bénévoles pour leur proposer de travailler en équipe avec moi. Tous répondirent par l'affirmative. Le lendemain, je revenais en autobus de Montréal, où j'avais participé à une émission télévisée, et perdu dans mes pensées, j'entendis clairement à l'intérieur de moi : «Missionnaire de la Paix». Je sursautai, émerveillé. Je venais de recevoir le nom que je cherchais depuis très longtemps. C'était le deuxième signe, en vingt-quatre heures, m'indiquant que je devais organiser ma relève sans plus tarder.

La première réunion d'équipe avec mes bénévoles débuta dès le lendemain matin. Pendant quatre mois, notre lieu de rassemblement quotidien fut le domicile d'Angéline. Je lui prodiguais les soins que requérait son état, tout en répartissant les tâches entre les membres de ma nouvelle équipe, tous très dévoués.

Lors de mes visites à domicile, je passais chaque jour en face d'une ancienne quincaillerie, un édifice abandonné situé rue Du Pont, dans le quartier Saint-Roch. Je m'arrêtais chaque fois devant, disant à Marcel, mon coéquipier : « Cette maison est pour nous, je le sens ! » Cela lui semblait irréaliste, car la Fondation Gilles Kègle, qui avait vu le jour deux ans auparavant, ne disposait pas de suffisamment d'argent pour acquérir un tel bâtiment. Une émission de télévision visant à faire connaître *Les Missionnaires de la Paix* me permit, par l'entremise du journaliste Robert Fleury, de rencontrer les représentants de la compagnie Industrielle Alliance, à qui appartenait maintenant la bâtisse. Une visite fut rapidement organisée. La déception fut amère lorsque je vis l'état épouvantable des lieux. Les murs étaient défoncés, des seringues souillées et autres déchets traînaient par terre. Le deuxième étage s'avéra dans un état encore plus lamentable. Tous les gens autour de moi, les membres du conseil d'administration, mon équipe de bénévoles, et même Robert Fleury, me conseillèrent d'oublier cette maison. J'étais incapable de m'y résoudre, persuadé qu'il s'agissait de *ma maison* et je fondis en larmes, provoquant la consternation générale. J'avais besoin d'un miracle et je priai Dieu avec ferveur de me l'accorder.

Le lendemain, Robert me téléphona en disant : « Je suis retourné voir la maison de la rue Du Pont avec un entrepreneur. Il l'a trouvée solide, malgré son état de délabrement. Il est prêt à entreprendre des travaux de rénovation pour un salaire minime, pourvu que tu lui trouves une équipe d'ouvriers bénévoles pour le seconder. »

Je n'en demandais pas plus. Le jour même, je lui trouvais une dizaine de bénévoles et les travaux commencèrent deux jours plus tard. En ce mois de mai 1997, le miracle que j'avais demandé à Dieu était en train de se produire.

La maison Gilles Kègle est aujourd'hui le lieu de rassemblement officiel des Missionnaires de la Paix, organisme qui regroupe soixante-dix-huit employés bénévoles à Québec. Une succursale a été fondée plus récemment à Montréal, avec l'aide d'une dizaine de bénévoles. Nous sommes maintenant en mesure d'offrir cinquante-six services différents, allant des soins physiques aux tâches ménagères les plus variées, afin de répondre aux besoins des gens délaissés par le système, oubliés par la vie.

J'ai enfin trouvé ma véritable place dans cette œuvre humanitaire qui a donné un sens à ma vie. Je réalise aujourd'hui que j'ai toujours cherché ma mission, et ce, depuis ma plus tendre enfance, alors que j'observais ma grand-mère au chevet des malades. Mais il a fallu que je passe par une multitude d'épreuves, que je connaisse la déchéance et le désespoir, jusqu'au désir du suicide, pour pouvoir comprendre ce que vivent les gens pauvres, ceux qui ont faim et qui souffrent d'abandon et de solitude.

La rencontre de Mère Teresa fut un élément déterminant dans mon cheminement, mais je pense que ce qui m'a sauvé du naufrage, ma véritable bouée, fut la prière. Je n'ai jamais cessé de parler à Dieu et de lui demander son aide. Je lui parle maintenant de mes malades. Je n'ai pas besoin d'aller à l'église pour cela, je prie en marchant sur la rue, en roulant à bicyclette ou en prodiguant des soins.

Aujourd'hui, ma religion est l'amour, mon église est la rue et ma mission est de secourir les miséreux, tous ces pauvres gens qui connaissent la solitude et le rejet dans notre société *dite évoluée et civilisée...*

Gilles Kègle

LE ROI SALOIS
A CESSÉ DE FAIRE SA LOI

Je suis né avec un esprit de rébellion contre toutes formes d'injustice. J'avais à peine sept ans et je voyais mon père attendre mes frères plus âgés à la porte de la maison, le jour de paye. Il réclamait leur salaire en entier, ne leur remettant que quelques sous pour leurs dépenses de la semaine. Cette situation me révoltait profondément et je me disais que cela ne m'arriverait jamais.

Le jour où j'ai touché ma première paye, à l'âge de neuf ans, ma stratégie était déjà en place. Ma chambre à coucher se trouvait à l'étage et j'avais appuyé une échelle contre le rebord de la fenêtre afin de m'assurer une retraite rapide en cas de besoin. Je réussis à éviter mon père en entrant dans la maison, mais il me suivit dans l'escalier menant à l'étage. J'attrapai le fer à repasser qui traînait sur une marche et le levai à bout de bras. Pleurant de rage et tremblant de peur, je hurlai : « Si tu fais un pas de plus, je te le lance ! »

Comme il faisait fi de ma menace, je lui lançai le fer, l'atteignant en plein front. Mon père tomba à la renverse, le front ensanglanté. Terrorisé, je pris mes jambes à mon cou et me sauvai dans ma chambre, d'où je m'empressai de sortir par la fenêtre à l'aide de l'échelle.

J'ai trouvé refuge chez mon patron, un homme fortuné avec qui je m'entendais très bien. Celui-ci m'a immédiatement pris sous sa protection. Il est allé voir mon père et a pris des arrangements pour que je puisse demeurer chez lui, à l'avenir. Cet homme m'aimait sincèrement et c'était réciproque. Nous avions des points communs, entre autres, nous étions tous deux analphabètes. Il engagea donc un professeur pour nous enseigner le calcul et l'écriture. Celle-ci nous montra à additionner et lorsqu'elle parla de soustractions, mon protecteur bondit hors de son siège en disant : « Ne nous parlez plus jamais de soustractions ou je vous congédie sur-le-champ. Montrez-nous plutôt à additionner et à multiplier, car dans la vie on ne soustrait jamais. »

Je n'ai pas pu oublier cette remarque qui a d'ailleurs influencé toute ma vie. Craignant de faire de moi un parasite, mon bienfaiteur ne m'a jamais donné d'argent, mais il m'a offert ce qu'il avait de plus précieux en me transmettant son expérience de vie. Il m'a appris à me débrouiller dans la vie et à devenir un homme d'affaires prospère. L'envers de la médaille est qu'il m'a aussi enseigné l'intolérance, l'arrogance et le pouvoir que confère l'argent. Je suis devenu, au fil des ans, un homme d'affaires redoutable et redouté, un véritable monstre prêt à écraser tous ceux qui osaient se placer en travers de son chemin. J'étais aussi un patron intransigeant qui n'admettait pas la contradiction, un homme hautain qui méprisait les gens et semait la terreur autour de lui.

Négligeant complètement ma famille, j'ai travaillé vingt heures par jour pendant des années, soutenu par l'appât du gain. Je brassais des millions et tout ce qui comptait pour moi était de faire de plus en plus de profits. L'argent était devenu mon maître que je vénérais comme un dieu.

Après avoir exploité des commerces dans différents domaines, je dirigeais maintenant une entreprise de remorquage sur les terrains privés, entreprise lucrative que j'avais montée moi-même. Sur le plan des affaires, je me battais constamment contre des lois désuètes que je considérais totalement injustes dans une société évoluée. J'étais en guerre contre l'autorité et je combattais l'oppression gouvernementale sous toutes ses formes, n'hésitant pas à défier la loi au besoin. Je me retrouvai donc à plusieurs reprises devant des cours de justice, et je fis même un bref séjour en prison, mais rien ne pouvait faire flancher ma détermination.

J'avais l'impression d'être invincible, jusqu'à ce que je reçoive un premier avertissement : je me suis retrouvé, un beau jour, avec un cancer de la prostate. Une chirurgie devait régler le problème, mais ce ne fut pas le cas, car les métastases avaient envahi mon système. Puis, je réalisai que ma vie amoureuse était un échec. En effet, j'étais face à une troisième rupture conjugale. Je commençais à me questionner sur mes valeurs dans la vie, lorsque survint un élément déclencheur important.

J'étais au centre-ville de Montréal, au volant de mon camion de remorquage, et mon attention fut captée par une petite voix pathétique à la radio. Une directrice de chorale avait réussi à mettre sur pied une chorale regroupant des femmes itinérantes de la région de Montréal. Sans organisme de soutien et obligée de défrayer elle-même tous les coûts d'administration, elle se voyait forcée de dissoudre la chorale, faute de fonds. En dernier recours, elle lançait un appel à l'aide, sur les ondes. Je fus profondément bouleversé par la tristesse de cette voix et décidai immédiatement de venir en aide à cette femme.

Je fonçai en direction de mon commerce, tremblant d'émotion. J'ouvris la porte de mon bureau en coup de vent et ordonnai à mon adjoint de retrouver la femme qui venait de parler à la radio et de me la ramener sans tarder. Je ne savais pas ce qui me poussait à agir ainsi, mais je ressentais une urgence à l'intérieur de moi. Il fallait absolument que je lui parle le jour même.

Lorsque je vis cette petite femme fragile entrer dans mon bureau, je fus touché par l'immense tristesse de son regard et lui offris de commanditer la chorale, sans y mettre aucune condition. Je posais un geste avec le cœur, pour la première fois de ma vie, ignorant à quel point cette décision me transformerait en profondeur.

200

En acceptant de commanditer la chorale *Les Voix du Chœur*, je voulais faire davantage que simplement m'impliquer financièrement et je décidai d'assister aux pratiques de chant. Moi qui n'avais jamais pleuré depuis ma plus tendre enfance, voilà que je me retrouvais pleurant à chaudes larmes devant la misère de ces pauvres femmes démunies. Certaines n'avaient pas un sou pour se payer un café par les grands froids d'hiver, alors que je vivais dans l'opulence et le luxe depuis des années. Où était la justice dans tout cela ?

Au contact de ces femmes, je me suis questionné sur mes valeurs et je suis redevenu humain. Occupé à travailler sans relâche, je n'avais jamais pris le temps de profiter de la vie. Le mot « vacances » ne faisait pas partie de mon vocabulaire, pas plus que le mot « détente » ou le mot « plaisir ». Mais j'ai compris qu'il n'était pas trop tard pour changer et j'ai opté pour d'autres valeurs.

J'ai modifié radicalement mon rythme de vie. Je me retire de plus en plus du monde des affaires, laissant mon fils prendre la relève avec efficacité, tandis que je consacre mon temps à prendre soin de moi et à aider les autres. Je ne cherche plus, comme autrefois, à acheter l'amour des gens, alors, bien sûr, plusieurs personnes se sont éloignées de moi. Cela ne m'empêche pas d'être profondément heureux.

Il y a quelque temps, je me trouvais coincé dans une file d'attente à la pharmacie et je me suis approché du comptoir pour voir ce qui se passait. Une dame n'avait pas suffisamment d'argent pour payer ses achats, ce qui retardait la caissière. J'ai spontanément mis la main dans ma poche pour lui offrir l'argent qu'il lui manquait et j'ai donné le reste de ma monnaie à la caissière pour d'autres personnes, en cas de besoin.

J'ai souri en pensant qu'il n'y a pas si longtemps, je serais devenu rouge de colère face à une telle situation. J'aurais levé les poings en l'air, traumatisant tout le monde autour de moi et j'aurais injurié cette pauvre femme sans retenue, la traitant avec beaucoup de mépris. Cette situation m'a fourni une preuve concrète de mon changement réel : le roi *Salois* a vraiment cessé de faire *sa loi*.

Aujourd'hui, je vis le moment présent, en appréciant chaque instant de bonheur avec ma nouvelle compagne de vie, cette femme au grand cœur qui m'a tant bouleversé lors de son appel à l'aide à la radio, et qui fut l'agent déclencheur de ma transformation. À ses côtés, je prends le temps de respirer la vie. Je m'assois dehors pour écouter le chant des oiseaux et contempler la nature en silence, et je ressens un bien-être incroyable. J'ai retrouvé mon cœur d'enfant; je le laisse s'exprimer et je m'amuse avec de petits riens. Je vais à l'église pour prier et chanter avec la chorale, et même si je chante faux, j'y éprouve beaucoup de plaisir.

Le cancer est toujours présent dans mon organisme, mais, curieusement, je n'éprouve aucun symptôme. Je suis rempli d'énergie et je me sens comblé par tout ce que la vie m'apporte depuis que je sais l'apprécier. Mon cœur s'est ouvert à l'amour et à la compassion, et j'ai l'impression d'être sur la bonne voie pour guérir mon âme et mon corps. À soixante-deux ans, je me dis maintenant qu'il n'est jamais trop tard pour changer ses valeurs et accéder ainsi au véritable bonheur.

Robert Salois

LES GAZELLES DU DÉSERT

*P*ar une fin d'après-midi de novembre, je reçus un appel très particulier. Dès que je raccrochai le téléphone, je ressentis un grand bien-être. C'était comme si une source de lumière émanait de mon cerveau qui me disait que j'allais vivre une expérience très enrichissante, en relevant un défi qui me ferait grandir.

On m'invitait à participer au Rallye Aïcha des Gazelles de mars 1997. L'organisation avait besoin d'une porte-parole pour promouvoir le Rallye au Québec. Ce rallye consiste à parcourir 2 500 km dans le désert, en véhicule tout terrain, pendant dix jours, à la recherche de balises préalablement dissimulées, avec orientation cartes et boussole, sans GPS (geographic-position-satellite). L'équipe qui trouve le plus grand nombre de balises avec le moins de kilométrage au compteur se voit décerner le Trophé Aïcha des Gazelles, à la fin de la compétition. Des épreuves sportives jalonnent également l'aventure au quotidien.

L'événement a lieu annuellement au printemps, depuis 1990. À l'époque, cette épreuve d'endurance attirait surtout les femmes du continent européen et seulement deux équipages québécois y avaient participé, soit en 1996. La responsable de la promotion, Nicole, souhaitait faire connaître davantage cette activité au Québec et, m'ayant entendue chanter à la télévision, elle avait pressenti en moi la candidate parfaite pour ce rallye.

Je décidai de relever le défi et proposai l'aventure à l'une de mes camarades de scène et amie, Danielle. Sa réponse fut instantanée: «J'irais *n'importe quand* dans le désert avec toi, Sylvie!»

Danielle et moi avons donc commencé des cours d'orientation avec cartes et boussole, dans le but de participer à l'épreuve du mois de mars qui se déroulerait dans le désert de la Mauritanie. Nous avions à peine deux mois et demi devant nous, alors que certaines participantes s'y préparaient depuis des années. Nous avons décidé, d'un commun accord, de ne pas nous mettre trop de pression sur les épaules, nous disant que si nous faisions le parcours du début à la fin, ce serait déjà pas mal. Nous voulions faire ce rallye au nom de la fierté.

Cette expérience dans le désert devait me permettre de rencontrer ma force intérieure, ainsi que ma capacité de lâcher prise et de faire confiance à mon instinct. Dans un premier temps, je réalisai, durant ces longues journées passées sous un soleil cuisant, qu'en effet, nous sommes bel et bien seuls au monde, et qu'il vaut mieux choisir sa propre route plutôt que de tenter de suivre les pistes des autres.

Pour nous orienter, quel que soit l'endroit où nous nous trouvons, cela prend des éléments remarquables autour de nous, comme une montagne, une forêt, une chute d'eau, etc. Dans le désert, il n'y a que des dunes, des roches et de l'herbe à chameau, et le sable s'étend parfois à perte de vue. Les éléments remarquables sont alors inexistants.

Ce jour-là, nous venions de rouler pendant quatre heures dans l'herbe à chameau, et les buttes de sable nous obligeaient à avancer à moins de 30 km/heure. Nous étions sur un terrain extrêmement cahoteux et n'avions trouvé aucune balise. Une équipe de Françaises, toutes aussi perdues que nous, nous avait rejointes, lorsqu'un vent de sable se leva. Impossible de distinguer quoi que ce soit à moins d'un mètre.

Tandis que Danielle et les filles de l'autre équipage s'évertuaient à tenter de faire des lectures de cap, je demeurais à l'intérieur du véhicule, bien enveloppée dans mon voile. Je me

sentais proche de l'état végétatif et constatais que, étant donné
la situation, je ne servais strictement à rien. Il fallait attendre
que Dame Nature se calme.

Au bout d'une heure, le vent de sable tomba, nous offrant
à nouveau de la visibilité. Et, oh! merveille! on pouvait distinguer une montagne au loin, directement dans notre cap. Il n'y
avait plus qu'à rouler vers cet élément remarquable – rareté
dans cette région – qui nous permettait de nous orienter facilement.

Nous avons donc repris la route et ma copilote, qui s'avérait être une excellente navigatrice, entreprit de vérifier notre
cap à tous les cinq kilomètres, ce qui retardait considérablement notre progression. J'acquiesçais à toutes les demandes de
vérification de cap qui nous obligeaient à arrêter le véhicule,
descendre faire une lecture avec la boussole, remonter et repartir. Or, après quatre ou cinq arrêts, la lecture s'avérait toujours la même: la montagne. Je me sentais comme *le gars qui
attend sa femme dans son char!* Il fallait que je parle à Danielle.
Comme mon avis était opposé au sien, l'idée d'une confrontation me troublait. J'étais là, à me dire qu'il ne me servait à rien
d'être patiente et conciliante, si cela m'amenait à devenir bête
dans dix minutes. Je ne comprenais pas pourquoi il fallait vérifier et discuter constamment ce que la boussole indiquait clairement.

Je décidai de faire une femme de moi. Prenant mon courage à deux mains, je fis part à Danielle de mon désir: nous devions maintenant rouler sans arrêt jusqu'à ladite montagne,
évitant de perdre du temps inutilement. Ce que nous fîmes.
Une épreuve d'escalade était prévue, à la condition d'arriver au
campement avant dix-sept heures, mais nous sommes arrivées
trop tard pour pouvoir y participer et c'est Danielle qui en fut la
plus désolée. Pour ma part, il s'agissait d'une victoire, car je
m'étais affranchie de ma gêne d'exprimer mon idée.

Un autre soir, nous sommes rentrées au bivouac fourbues
et complètement épuisées. J'arrêtai la voiture et ma coéquipière
me proposa de monter la tente à l'endroit même. Je lui fis

remarquer la présence d'une génératrice dont le bruit risquait d'être dérangeant la nuit venue. Mais elle ne porta aucune attention à ma remarque et sortit inspecter l'endroit. Elle revint, l'air déçu, en mentionnant qu'il y avait une génératrice. Entendant cela, la fatigue aidant, la moutarde me monta au nez. « Quoi ! Je viens de te dire qu'il y a une génératrice... tu m'écoutes ou non ! »

Nous trouvâmes rapidement un endroit plus approprié pour nous installer et, sans dire un mot, nous déchargeâmes le véhicule que j'allai garer dans l'espace prévu à cet effet. Je bouillonnais intérieurement. J'avais l'impression d'être ignorée, de parler dans le vide et j'en voulais à ma coéquipière de ce manque de considération. J'aurais très bien pu ruminer ma colère toute la soirée et même toute la nuit jusqu'au matin. Heureusement, je décidai de prendre le taureau par les cornes afin d'éclaircir la situation au plus tôt : « Tout à l'heure à côté de la génératrice, je t'ai signalé sa présence et tu es sortie du camion comme si je n'avais rien dit. J'ai l'impression que tu ne m'écoutes pas lorsque je te parle ! »

– Excuse-moi, lorsque je suis fatiguée, je n'entends plus rien. Ne le prends pas personnel.

Je réalisais qu'il n'y avait aucune mauvaise intention derrière l'attitude de Danielle et mon animosité disparut aussitôt. Nous formions une bonne équipe, elle et moi, car chaque fois qu'un malentendu se pointait, nous le réglions immédiatement, évitant ainsi d'accumuler des frustrations. Nous nous complétions parfaitement toutes les deux. Pour avancer vers l'atteinte de notre but avec harmonie et efficacité, je venais d'attester une fois de plus une de mes profondes convictions : dans un couple, comme en affaires, il est important de ne pas refouler nos frustrations ou nos malentendus, mais plutôt de régler les conflits au fur et à mesure qu'ils se présentent. Et en cela, le désert offre tout l'espace et le temps voulus pour le faire.

Dans ce genre de compétition, ce n'est pas la vitesse qui domine, mais l'instinct joint à la précision des calculs en degrés/minute, ainsi qu'un équipage harmonieux. Chaque matin, nous pouvions choisir de suivre les pistes d'une équipe qui avait pris le départ avant nous, ou bien prendre la route que nous indiquaient nos calculs.

Plusieurs chemins s'offraient à nous, et nous devions apprendre à faire confiance à nos choix. Nous avions aussi des obstacles majeurs sur notre parcours. Par exemple, lorsque nous nous retrouvions face à une dune de plusieurs mètres de haut, nous pouvions décider de la franchir au risque d'enliser le véhicule dans le sable mou et devoir ensuite pelleter pendant des heures et des heures, sous le soleil brûlant. Nous pouvions aussi choisir de la contourner, ce qui risquait de rallonger notre trajet de plusieurs kilomètres, ou même nous faire rater une précieuse balise.

Nous voilà donc, à un moment donné, face à un autre imposant cordon de dunes. Fallait-il contourner ou traverser cet obstacle? Nous hésitions, ne sachant quelle décision prendre, et ce fut Danielle qui trouva la solution. «Allons voir cette dune de plus près, me dit-elle, et nous verrons de quoi elle est faite.»

Nous nous sommes donc approchées de la dune, l'avons touchée, avons marché dessus, pour constater qu'elle était suffisamment ferme pour être traversée sans problème. Grâce à ma partenaire, j'ai ainsi appris une belle leçon ce jour-là: lorsqu'un problème se présente, il suffit de s'en approcher le plus près possible pour saisir sa réelle nature. Ce que nous croyions être une épreuve ardue s'est finalement avéré un véritable délice à traverser.

Nous avons terminé cette expédition dans le désert en nous classant, à notre grande surprise, au troisième rang parmi vingt-quatre équipages concurrents. Notre objectif de faire ce rallye du début à la fin était atteint. En plus, nous avions la fierté de nous être bien classées.

Pour ma part, ce plongeon au cœur du désert m'a permis de me rencontrer, de remplir mon réservoir de fierté et de me dépasser. J'ai embrassé l'horizon pendant de longues heures, alors que rien n'arrêtait la portée de mon regard, ce qui m'a procuré une sensation de grande liberté. Dans le désert, le croissant de lune apparaît à l'horizontal, dessinant un sourire dans le ciel. Lorsque la nuit tombait, les étoiles scintillantes nous servaient de guides, tout comme les Rois mages autrefois, et le magnifique sourire de la lune nous confirmait que nous étions dans la bonne direction.

J'ai aussi compris, à travers cette expérience, l'importance de cultiver la patience et le lâcher-prise face aux événements hors de notre contrôle. Lorsque la tempête fait rage dans notre vie, ne nous activons pas inutilement ; reposons-nous et tâchons de refaire le plein d'énergie, en sachant que nous serons prêts à agir efficacement lorsque le beau temps reviendra.

Sylvie Legault

MERCI À MES MAUX DE DOS

J'avais vingt-trois ans et je me retrouvais, bien malgré moi, allongé sur mon divan, souffrant de terribles maux de dos s'étendant sur toute la colonne, des vertèbres cervicales jusqu'aux lombaires. Cette souffrance dominait ma vie depuis deux ans et je me disais que je ne pouvais pas continuer ainsi. J'avais conscience d'être à la croisée des chemins. Le choix que je devais faire m'apparaissait crucial pour mon avenir : allais-je continuer à m'enliser passivement dans la maladie, ou agir afin de trouver des pistes me permettant de me sortir de ce calvaire ?

Très sportif, j'adorais le ski alpin et le tennis, et me voyais pratiquer ces activités jusqu'à un âge avancé. C'est ce qui me motiva à me prendre en main pour trouver le moyen de recouvrer la santé.

Il me fallait aussi décider de mon avenir professionnel. Je rêvais de devenir journaliste afin de pouvoir aider les gens en dénonçant les injustices sociales. Déjà, à l'adolescence, lorsque j'avais entendu parler de l'holocauste des Juifs sous le règne d'Hitler et de l'apartheid contre les Noirs en Afrique du Sud, j'avais été profondément choqué par tant de méchanceté. J'aurais souhaité réformer le monde afin de le rendre meilleur, et je rageais devant tant d'abus de pouvoir et d'incompréhension entre humains, somme toute, égaux.

Épris de justice, je continuai de m'intéresser à la politique internationale. En 1984, baccalauréat en sciences politiques en poche, des maux de dos aigus me forcèrent à prendre une pause pour réfléchir sur ma vie. Je vivais alors chez mes parents et ressentais de l'insécurité face à mon avenir. Cet été-là, j'entretenais des pelouses et mon patron exigeait que je coupe les bordures de gazon avec les cisailles. J'effectuais ce travail accroupi, ce qui était nocif pour mon dos déjà fragile. À l'automne, mon patron et moi passâmes au terrassement. Nous avions dix voyages de terre à égaliser sur un terrain, à la pelle. Devant l'endurance physique de mon compagnon, je faisais figure de «feluette» avec mon dos amoché, et mon orgueil en prenait un coup. C'est d'ailleurs à ce moment-là que la douleur aiguë est apparue. Précisons que mon dos avait subi un choc violent quelques années auparavant, alors que j'avais heurté une voiture de plein fouet en roulant à vélo.

Après avoir obtenu un certificat en communication, j'ai finalement opté pour la réalisation de mon rêve en entreprenant des études de deuxième cycle en journalisme. Étant en contact avec des professionnels des médecines douces harcelés par le Collège des médecins, ainsi que des travailleurs souffrant de maux de dos que médecins et employeurs refusaient de reconnaître, j'avais trouvé le sujet de la série d'articles que je devais rédiger en guise de minithèse : le pouvoir des médecins et les abus qu'il permet.

Mes maux de dos devenaient de plus en plus incommodants. Une thérapeute m'annonça même un jour que je risquais de souffrir d'arthrite à très court terme, ce qui m'inquiéta davantage. J'avais l'impression d'avoir constamment des aiguilles plantées tout le long de la colonne vertébrale, du cou jusqu'au bas du dos. Je consultais un chiropraticien qui me traitait initialement deux à trois fois par semaine. Celui-ci me fit prendre conscience du lien entre l'alimentation et la santé et m'initia à l'homéopathie, traitement qui élimina ma fièvre des foins. J'eus ensuite recours à l'ostéopathie, qui me fit un bien énorme, et orientai mes lectures vers l'alimentation saine et les méthodes naturelles de guérison. Je pratiquais aussi la méditation et le yoga.

J'expérimentais ce que mes recherches m'apprenaient et je constatais que mon dos réagissait de mieux en mieux. Je prenais également conscience que je devais changer radicalement ma façon de m'alimenter, si je voulais guérir complètement.

En 1988, j'effectuai un stage comme *reporter* au quotidien montréalais *The Gazette*. Bien sûr, plusieurs de mes reportages concernèrent des sujets qui me préoccupaient depuis des années et qui touchaient à la santé. Petit à petit, mes recherches s'étendirent aux maladies environnementales. Je fus ensuite engagé par l'hebdo de l'habitation Habitabec, ce qui me permit d'être en contact avec des architectes et des chercheurs dont les travaux portaient sur les maisons saines. J'entendis aussi parler de gens hypersensibles aux produits chimiques et fis le lien avec ce que j'avais vécu dans le passé.

Chez mes parents, j'ai été responsable de l'entretien de la maison et du terrain pendant nombre d'années. J'ai passé un été à repeindre, torse nu, murs et plafonds de la maison, les enduisant de trois couches de peinture à l'huile, sur l'insistance de mon père qui ne jurait que par la peinture à l'alkyde. La peau étant le principal organe d'absorption, il n'était donc pas étonnant que j'aie été intoxiqué par le solvant dont je m'aspergeais le corps pour le libérer des taches de peinture. J'ai également appliqué des pesticides à de nombreuses reprises, en plus d'en absorber par mes espadrilles en poussant la tondeuse dans le gazon humecté de produits chimiques, et ce, pendant des années.

Je commençais à comprendre la relation avec mes maux de dos et tout le stress et les agressions multiples que j'imposais à mon corps depuis des années. Celui-ci réagissait avec vigueur pour me forcer à l'écouter.

Dès le début des années 1990, je me suis spécialisé en santé environnementale comme journaliste chez Habitabec et comme collaborateur au magazine *Guide Ressources*, dont j'appréciais la promotion qu'on y faisait des approches alternatives en santé. Constatant à quel point l'industrie et les gouvernements faisaient peu de cas de l'impact de la pollution environnementale sur la santé des gens, le justicier en moi se réveilla. Il fallait que les gens soient mieux informés, afin de pouvoir prendre des décisions éclairées concernant leur santé. D'où l'idée de créer, en 1994, une revue consacrée aux maisons saines, traitant des causes et des solutions à apporter aux maladies des bâtiments malsains.

La première parution de *La maison du 21e siècle* contenait d'ailleurs un guide fédéral sur les matériaux pour le logement des personnes hypersensibles, document inédit et révolutionnaire que des chercheurs rédigeaient depuis deux ans, mais dont le contenu était sans cesse dilué et la publication, reportée. Je démarrais alors ma propre entreprise et, malgré la crainte de perdre mes bons contacts à la Société canadienne d'hypothèques et de logement qui avait commandé l'étude, je décidai de publier sans autorisation officielle une ébauche du rapport que m'avait envoyé un des coauteurs, exaspéré par les pressions de l'industrie des matériaux sur l'agence fédérale de l'habitation.

Passionné par ce projet, je me sentais investi d'une mission sociale importante. Je devais agir afin d'informer les gens sur ce qui les rendait malades dans leur environnement immédiat, ainsi que leur fournir des outils efficaces pour remédier à la situation. Malgré une lettre de menace de poursuite que m'avait envoyée un haut fonctionnaire, je ne pouvais reculer. Je m'en remis donc à l'Univers pour me protéger dans cette mission.

C'est ainsi que naquit, en mars 1994, le magazine *La maison du 21e siècle*, à l'époque un simple feuillet de quatre pages en noir et blanc, devenu, dix ans plus tard, une magnifique revue couleur de quatre-vingts pages portant sur la maison saine pour ses habitants et la planète. Celle-ci traite particulièrement de questions de santé comme les moisissures, l'électromagnétisme, les matériaux sains, ainsi que d'efficacité et d'autonomie énergétique; par exemple, les maisons solaires, celles isolées à la paille, etc.

Depuis quelques années, je donne aussi des cours et des consultations sur la construction et la rénovation écologiques. Finalement, à l'automne 2002, lors d'un échange avec des étudiants, je fus surpris de m'entendre dire spontanément « j'*avais* des maux de dos », au lieu d'en parler au présent, comme d'habitude. J'ai alors pris conscience du chemin parcouru depuis l'époque où j'étais allongé sur mon divan, souffrant le martyre, dix-sept ans auparavant.

Changer mon mode de vie m'a demandé du temps et de la souplesse. Je dois avouer que ce ne fut pas nécessairement facile de modifier mes habitudes alimentaires malsaines, de laisser tomber sucre, alcool, café et autres aliments néfastes pour ma santé. Je me souviens de l'époque lointaine où je prenais l'autobus avec ma copine, le dimanche matin, pour aller prendre le repas du midi chez mes parents. Après m'être gavé de rôti de bœuf ou de porc accompagné de patates, pain et beurre en abondance, suivi de gâteau et crème glacée, le tout arrosé de vin et de café, je m'écrasais lourdement dans mon siège d'autobus, pour ronfler pendant l'heure du retour. Le lendemain, mon corps bouffi et ralenti me signalait clairement l'urgence d'un changement radical dans mes habitudes alimentaires.

Au cours des années qui ont suivi, j'ai développé une passion pour la santé et l'écologie. Dès le départ, je souhaitais aider les gens à vivre dans un environnement sain en leur fournissant des moyens efficaces pour éliminer l'accumulation de polluants qui les rendent malades. J'ai atteint mon but et j'en suis fier, mais j'ai compris, en cours de route, que mon intérêt pour les maisons saines ne relevait pas du hasard et qu'il me fallait, d'abord et avant tout, prendre soin de ma propre maison intérieure.

Plus récemment, je suis devenu membre du *Réseau Hommes Québec*, mouvement fondé par le psychanalyste bien connu Guy Corneau. Je fais maintenant partie d'un groupe de sept hommes et nous nous rencontrons toutes les deux semaines pour parler des « vraies choses » nous concernant. Cette solidarité masculine est devenue primordiale dans mon cheminement évolutif. J'y apprends à prendre ma place, à communiquer mes émotions avec le cœur, et à écouter la souffrance de l'autre avec compassion, sans jugement. Je ressens une grande joie d'avoir la chance de fréquenter d'autres hommes qui, comme moi, attachent de l'importance aux valeurs essentielles de la vie.

Je réalise aujourd'hui qu'il a fallu que je passe par la maladie pour apprendre à m'occuper de mes propres besoins et à dire non lorsque nécessaire, ce qui n'était pas inné chez moi. Je peux dire merci à mes maux de dos puisqu'ils m'ont permis de m'arrêter pour regarder ce qui se passait à l'intérieur de moi. Au fil de mes découvertes, je suis parvenu à amorcer des changements majeurs dans mes habitudes de vie, me conduisant petit à petit vers la guérison.

Mon dos demeure fragile, mais au début de la quarantaine, je me sens maintenant beaucoup plus en forme qu'il y a vingt ans. Je pratique le ski de fond, le tennis et fais de grandes randonnées dans la nature avec ma conjointe, Maryse, qui est, elle aussi, très concernée par tout ce qui touche la santé. En fait, je n'aurais jamais été aussi discipliné dans ma démarche d'autoguérison sans l'aide de Maryse qui, pour sa part, a guéri ses migraines et surmonté divers traumatismes par son propre cheminement.

Ma prise en charge de ma santé m'a mené vers un certain équilibre et je me sens désormais comblé par la vie, tant sur le plan personnel que professionnel. J'ai encore du chemin à parcourir dans le merveilleux apprentissage de l'amour de soi, mais je sais maintenant que l'important n'est pas le but à atteindre, mais tout ce qu'on découvre en cours de route, et qui nous amène à changer pour arriver à un mieux-être physique, émotionnel, psychologique et spirituel.

André Fauteux

LA PETITE MAISON DES ARTS

J'ai eu la chance de bénéficier, très jeune, de l'exemple dynamique de ma mère, une femme dotée d'un sens de l'organisation extraordinaire, qui avait le cœur à l'ouvrage. Maman a tout d'abord épousé un veuf, père de six enfants, avec qui elle a eu neuf autres enfants, dont moi-même. Mon père décéda alors que la petite dernière était âgée de seulement un an et demi. Quelques années plus tard, Maman se remaria avec un autre veuf, un manufacturier de portes et fenêtres de Sainte-Hénédine, qui avait lui-même six enfants.

Presque tous ces enfants dont maman s'occupait – y compris les siens – étaient encore aux études, soit à l'école primaire, soit au couvent ou au collège. Maman voyait aux besoins de tous et chacun, déployant une énergie incroyable pour que tout son monde soit satisfait et heureux. Elle trouvait même le temps de gérer son propre commerce. Son mari avait agrandi la maison familiale afin de lui permettre d'y installer un magasin général où l'on trouvait une grande variété d'objets utiles pour la maison, du rouleau de fil aux casseroles. Elle faisait aussi preuve d'une débrouillardise incroyable. Mes sœurs m'ont raconté qu'elle habillait parfois les futures mariées de la tête aux pieds sans que celles-ci aient à se déplacer en dehors du village. Après avoir pris les mesures des jeunes filles, elle se rendait elle-même en ville pour acheter voiles, robes, souliers et autres accessoires qu'elle rapportait aux demoiselles ravies, car leur toilette leur allait comme un gant, en plus de correspondre exactement à leurs goûts.

Ma mère m'a sans doute légué ses talents de vendeuse et acheteuse, car devenue adulte et installée à Montréal avec mon mari, je ne cessais de parcourir les petites annonces du quotidien *La Presse*. Je m'amusais à acheter et à revendre fictivement une multitude de biens, allant des chevaux aux bateaux, en passant par les fermes et maisons. Ce sont les maisons qui attiraient surtout mon attention. Les petites annonces de *La Presse* m'ont donc incitée à suivre un cours d'agent immobilier par correspondance qui coûtait, à l'époque, cinquante dollars. À travers tout cela, je prenais soin de ma famille, dont un enfant lourdement handicapé, j'enseignais comme suppléante et j'étais aussi impliquée dans un programme de restructuration scolaire ainsi que dans la politique municipale avec mon époux, lui-même échevin.

Devenue agente d'immeubles, j'ai un jour obtenu le contrat de vente d'une maison de style victorien, située rue Saint-Joseph à Montréal, pour laquelle j'avais eu un véritable coup de foudre dès la première visite. Un an plus tard, la maison me revenait à nouveau entre les mains. Je ne pouvais pas laisser passer pareille occasion une deuxième fois et, malgré son prix élevé pour mes moyens, je décidai de l'acheter sans faire de calculs pour savoir si cet investissement serait rentable. J'agissais impulsivement, ignorant toute l'importance que cet achat aurait dans ma vie.

Lorsque j'ai fait l'acquisition de cette superbe propriété de trois étages avec un grand salon double au rez-de-chaussée, je me suis dit que c'était l'endroit idéal pour une salle de concert. Je souhaitais faire de cette maison un lieu privilégié pour les artistes, chanteurs d'opéra, musiciens classiques, violoncellistes, pianistes, etc., rêve que je caressais depuis très longtemps.

En effet, j'ai toujours adoré la musique classique. J'avais à peine dix ans et je refusais de me coucher le soir avant d'avoir pu écouter l'émission de musique classique *Adagio*, à la radio de Radio-Canada. Je me laissais bercer par tous les beaux airs d'opéra, conquise par ces voix sublimes dont mes rêves étaient imprégnés. Je me voyais déjà entourée de grands artistes qui me ravissaient par leur art.

J'ai donc loué la maison en juillet 1986, en attendant de passer chez le notaire en novembre de la même année, afin de permettre à mon fils cadet, Jocelyn, qui était impliqué avec moi dans ce projet, d'entreprendre les rénovations pendant l'été avec l'aide d'amis. Mais le jour où je devais passer chez le notaire, survint un drame épouvantable. Mon fils Jocelyn décéda des suites d'un accident de voiture. J'étais complètement désemparée face à cette grande épreuve. J'aurais alors pu laisser tomber l'achat de la maison, investissement d'ailleurs qualifié d'insensé par mon entourage. Au contraire, je fonçai tête baissée dans l'aventure, persuadée que Jocelyn, qui avait à cœur ce projet autant que moi, me soutiendrait de là où il se trouvait. Je pense aujourd'hui que cette décision m'a sauvée du désespoir.

Les rénovations complétées pour un temps, le rez-de-chaussée pouvait maintenant servir de salle de concert. Je n'avais aucun meuble et très peu de budget. Je consultai encore une fois les petites annonces de *La Presse* pour y découvrir, oh! miracle..., un magnifique piano à queue en vente à quatre mille dollars. Une véritable aubaine! Je me procurai ensuite une quinzaine de chaises pliantes dans un magasin à grande surface, et pus ainsi offrir un premier concert. *La Petite Maison des arts* était née.

Au fil des ans, des centaines de concerts eurent lieu à La Petite Maison des arts. Des artistes de la scène internationale, sans doute conquis par l'atmosphère magique qui y règne, ont généreusement accepté de s'y produire, souhaitant partager leur art avec un public chaleureux. L'intimité de l'endroit permet aux spectateurs d'approcher leurs idoles, d'échanger avec eux et même de leur toucher pour se convaincre qu'ils ne sont pas en train de rêver.

De grands maîtres, tels le pianiste Dalton Baldwin, le baryton Gino Quilico, la basse Claude Corbeil, le ténor Claude

Robin Pelletier et le chef d'orchestre Joseph Rescigno y ont offert des «master classes», permettant aux jeunes talents de bénéficier de leur enseignement et de leurs précieux conseils. Plusieurs autres artistes classiques tels Janine Lachance, Nathalie Choquette et Louise Le Cavelier s'y sont aussi produits sur scène à plusieurs reprises, pour le plus grand bonheur des mélomanes.

Je me suis investie corps et âme dans cette grande aventure, mais quelle richesse sur le plan humain celle-ci m'a finalement apportée! J'ai aujourd'hui le privilège d'être entourée des plus grands artistes classiques de ce monde, qui sont avant tout des gens d'une grande simplicité et d'une générosité peu commune.

Chaque fois que je m'assois dans mon salon aménagé en salle de concert pour écouter un récital ou un concert, je suis profondément émue. Je crois rêver en repensant à l'époque où, dans mon petit village de campagne plus de soixante ans auparavant, mon cœur vibrait en entendant les beaux airs d'opéra à la radio. Je n'aurais jamais pu imaginer que cette musique, qui me ravissait tant, se jouerait un jour dans mon propre salon.

Ce bonheur que je vis aujourd'hui, je le dois en bonne partie à l'esprit d'initiative que m'a légué ma mère par son exemple de vie très stimulant. Tout comme elle, je me suis débrouillée avec ce que la vie me procurait, écoutant mon cœur plutôt que ma raison, afin de rendre les gens heureux autour de moi.

Mon mari m'a été d'un précieux soutien tout au long de ces années, entre autres, grâce à ses talents d'ébéniste. Mais j'ai aussi la chance de bénéficier d'une autre forme d'aide très particulière. En effet, lorsque je me sens impuissante face à un problème, je m'en remets à mon fils, Jocelyn, lui demandant d'intervenir de là-haut. J'oublie ensuite mes tracas, confiante que ceux-ci finiront par se résoudre. Je peux alors dormir tranquille, car la magie opère... immanquablement chaque fois.

Rolande Jacques Royer

LA RECONNAISSANCE EST L'INTELLIGENCE DU CŒUR

*L*e 30 janvier 1997, je fus assermentée 27ᵉ Lieutenant-gouverneur du Québec. J'étais la première femme à occuper cette fonction créée pour assurer la pérennité de l'État et protéger les citoyens. Dès le départ, j'entendais exercer mon mandat avec un engagement qui dépassait la fonction.

J'ai toujours eu beaucoup de respect pour les êtres humains. Un des moments les plus marquants de ma vie fut un bel échange que j'eus, vers l'âge de trente ans, avec l'une de mes tantes qui était religieuse. Ce jour-là, ma tante me rendait visite et nous conversions amicalement, assises dans la cuisine, lorsqu'elle me confia le grand secret qu'elle avait découvert au cours de toutes ces années consacrées à œuvrer pour le bien de ses semblables. La grande révélation de sa vie était que *dans chaque être humain, il y a une parcelle du divin.*

Les confidences de cette femme merveilleuse avec qui j'avais beaucoup d'affinités me marquèrent profondément et m'incitèrent à amorcer une longue réflexion. Je réalisai à quel point il est facile et habituel, lorsque nous regardons une personne, de la voir uniquement dans son aspect extérieur, remarquant la couleur de ses cheveux, de ses yeux, les rides qui sillonnent son visage ou encore les traces de fatigue ou de souffrance qui y apparaissent. Mais grâce à ma tante, je venais de comprendre toute l'importance de regarder au-delà de l'apparence pour arriver à découvrir la parcelle divine logée au fond de chacun.

Cette prise de conscience fut un point tournant qui me mena vers l'engagement social. Je me suis efforcée de voir Dieu à travers mes semblables, et d'apporter ma contribution personnelle à la société dans laquelle je vivais en m'impliquant dans des activités communautaires, culturelles et politiques. Dans les années 70, j'ai fondé le club des Femmes d'aujourd'hui de Laval en souhaitant développer l'entraide les unes avec les autres. Je fus touchée par le cas pathétique d'une femme qui, à la veille d'accoucher d'un troisième bébé, n'avait personne pour garder ses deux enfants pendant les cinq jours qu'elle devait passer à l'hôpital. Je ne pouvais imaginer qu'une femme puisse vivre aussi isolée, moi qui avait toujours été bien entourée, ayant une mère et des sœurs prêtes à me soutenir en cas de besoin. Cette pauvreté de réseau m'apparaissait totalement inacceptable dans une société évoluée comme la nôtre.

Car à mes yeux, la plus grande des pauvretés n'est pas le manque d'argent ou de biens matériels, mais plutôt l'absence d'un réseau de soutien qui crée inévitablement la solitude et l'isolement. Je trouve déplorable que dans nos grandes villes, à moins de catastrophes majeures, comme une inondation ou un verglas, qui touchent un nombre considérable de citoyens et engendrent un mouvement de solidarité de masse, les gens vivent très près les uns des autres, dans des logements voisins, sans jamais se parler.

Mais heureusement, il existe aussi des citoyens très impliqués socialement. Je suis persuadée qu'il y aurait beaucoup plus de misère sans l'effort déployé dans le monde des affaires pour mettre sur pied des Fondations qui amassent des sommes souvent considérables, afin de les redistribuer à ceux et celles qui en ont le plus besoin. Depuis que j'occupe la fonction de lieutenant-gouverneur, j'ai vu énormément de gestes de bonté et de générosité de la part de personnes de tous âges et de tous les milieux.

Je trouve aussi important de souligner le travail des bénévoles qui œuvrent au sein de la communauté et de reconnaître publiquement leur dévouement. Chaque fois que je visite un organisme et que l'événement est médiatisé, je suis témoin de la fierté des gens lorsqu'ils voient quelqu'un d'influent soutenir la cause qui leur tient à cœur et lui donner une plus grande visibilité. Je pense que la reconnaissance est l'intelligence du cœur.

Je me souviens d'une anecdote au moment où j'effectuais une visite au *Foyer Drapeau* de Sainte-Thérèse de Blainville, un établissement plus que centenaire, dans le but de reconnaître le travail des bénévoles de l'endroit. Comme il n'y avait pas de salle commune suffisamment grande pour accueillir bénévoles et résidents en même temps, il fut décidé qu'il y aurait deux rencontres, la première avec les bénévoles et la deuxième avec les résidents. Lorsque je vis arriver les bénévoles, je remarquai qu'il s'agissait de personnes dont l'âge variait entre soixante-quinze et quatre-vingt-cinq ans. Je ne pus m'empêcher de porter spontanément un jugement en pensant : «Il ne doit pas se passer grand-chose ici !», jusqu'à ce que je réalise, en échangeant avec ces personnes dévouées, que si elles n'avaient pas été des bénévoles, elles auraient sans doute été des bénéficiaires. J'ai alors compris que l'engagement est important pour celui qui reçoit, mais qu'il est aussi bénéfique pour celui qui donne. Le bénévolat est stimulant et permet d'être actif dans la société jusqu'à un âge avancé. Le fait de se coucher le soir en se préoccupant des gens que l'on aidera le lendemain fait que l'on se sent utile et valorisé et que l'on a le goût de continuer à vivre, quel que soit l'âge.

La relève dans une société est aussi primordiale à mes yeux et je pense que notre belle jeunesse mérite d'être honorée. C'est ce qui m'a amenée à rétablir, au printemps 2000, le Prix du Lieutenant-gouverneur qui n'existait plus depuis trente ans, afin de pouvoir le remettre à des étudiants de différents domaines qui s'impliquent sur le plan social et communautaire. Les cérémonies de remise de prix se font sur une base annuelle, à l'Assemblée nationale, avec tout le décorum qui y est rattaché, car je tiens à ce que ces jeunes se souviennent que cette reconnaissance est importante dans leur vie et stimulante pour d'autres jeunes. Lorsqu'on présente les récipiendaires choisis par leur institution d'enseignement pour recevoir le Prix du Lieutenant-gouverneur, je suis impressionnée en constatant que certains ont des notes biographiques plus imposantes que bien des gens dans la soixantaine, alors qu'ils n'ont que quinze, dix-huit ou vingt ans. C'est ce qui me rend très fière de notre jeunesse québécoise et je trouve dommage que les médias nous présentent surtout des jeunes qui ont de la difficulté à traverser cette étape de leur vie et qui font les manchettes parce qu'ils ont posé des gestes regrettables.

Je tiens à souligner aussi une belle initiative d'un directeur d'école qui incitait les élèves de son établissement à faire vingt heures de bénévolat au cours de l'année scolaire, en attribuant des points à cette activité à la fin de l'année. Deux jeunes ont offert leurs services comme bénévoles dans un centre de soins de longue durée et ils ont tellement aimé l'expérience, qu'ils ont décidé de la poursuivre. Depuis deux ans, ils consacrent deux heures par jour à servir des repas aux personnes âgées du centre, qui sont devenus pour eux, des grands-papas et des grands-mamans qu'ils affectionnent beaucoup.

À soixante-quatre ans, j'ai fait plusieurs tours de jardin, ce qui m'a permis de vivre une multitude d'expériences très enrichissantes sur le plan humain. Je considère que c'est un privilège d'occuper cette fonction actuelle de chef d'État qui me confère un grand pouvoir moral et je vis cela avec beaucoup d'humilité et de respect. Lorsque j'ai été nommée à ce poste, j'ai dit que je souhaitais être près des gens, les visiter dans leur ville, leur village ou encore leur institution. Je me fais un plaisir de tenir parole et d'être le plus accessible possible. Je me sens honorée de pouvoir mettre mes compétences au service de mes concitoyens et avant de prendre la parole publiquement, je demande toujours à l'Esprit-Saint de mettre dans ma bouche les mots qu'il faut pour rejoindre les gens dans leur cœur et leur apporter du réconfort.

Lise Thibault,
Lieutenant-gouverneur du Québec

6

DES TÉMOIGNAGES
DE COMPRÉHENSION DE LA MORT

La mort peut être belle, comme une célébration.
Elle est cette heure de départ où l'on s'en retourne
chez soi.

Mère Teresa

TOUS ÉGAUX DEVANT LA MORT

En tant que comédienne, j'ai la chance de pouvoir exercer un métier formidable, et je trouve valorisant d'être reconnue pour le travail que je fais, mais je me suis rendu compte que ce n'était pas suffisant et que j'avais un grand vide au fond de moi. Je me suis posé très tôt des questions existentielles, entre autres, sur le sens de la vie, sur la naissance et, surtout, sur la mort que je percevais intuitivement comme un passage et non une fin en soi. Pendant des années, j'ai exploré le thème de la mort à travers de nombreuses lectures qui ont nourri mes réflexions.

J'ai souvent remarqué que la vie nous procure les événements qui vont de pair avec notre cheminement. Un questionnement honnête et sincère suscite des réponses que la vie se charge généreusement de nous apporter, pourvu que nous soyons capables de les voir.

C'est ainsi qu'au moment où je me questionnais intensément sur la mort, j'appris qu'une de mes tantes se mourait d'un cancer du sein. Je n'avais jamais eu d'affinités avec cette tante et je ne serais probablement pas allée la voir à l'hôpital, si une cousine plus jeune que moi ne m'avait demandé de l'y accompagner. Je me suis donc retrouvée dans une chambre d'hôpital auprès d'une personne mourante avec qui je n'avais pas développé de lien profond au cours de sa vie. Ma cousine semblait désemparée, alors qu'à mon grand étonnement, je savais

225

exactement quoi faire. J'ignorais ce qui allait se passer, mais je me suis placée tout naturellement dans un état de disponibilité et d'écoute, prête à accueillir tout ce qui pouvait surgir. Ma tante a sans doute ressenti mon ouverture, car elle s'est confiée à moi, me parlant de ses émotions face à sa mort imminente et de choses très intimes qui sont souvent difficiles à exprimer devant des proches. Un contact au niveau du cœur et de l'âme venait de s'établir entre elle et moi, très simplement, dans la magie du moment présent.

En sortant de la chambre, je me suis remise en question et me suis jugée en me disant : «Comment se fait-il que je n'aie pas connu cette femme plus tôt? Pendant toutes ces années, je n'ai éprouvé aucune sympathie pour elle et voilà qu'au moment où je la vois pour la dernière fois, le courant passe subitement très fort entre nous. Est-ce parce que je n'étais pas suffisamment sensible et présente aux autres auparavant?»

Cette situation me secoua et me permit de réaliser que j'avais la capacité d'accueillir et que je pourrais sans doute être efficace auprès des mourants. Le cheminement que je faisais depuis plusieurs années m'avait peut-être menée à cette découverte. Cette constatation me frappa, tout en faisant naître de la méfiance en moi. «Wow! Minute!, me suis-je alors dit, la mort est trop importante dans la vie d'un être pour jouer avec ça. Je dois être sincère avec moi-même et vérifier d'abord ce qui se cache derrière ce désir subit d'accompagner des gens au seuil de la mort.»

J'ai réfléchi sur le sujet pendant un an, lisant tout ce que je trouvais sur l'accompagnement, cherchant à comprendre ma motivation véritable. J'ai alors réalisé que les raisons importent peu, que l'essentiel est de ressentir qu'on est à sa place, qu'on agit pour le mieux, au meilleur de ses connaissances, avec le cœur ouvert.

J'ai ensuite offert mes services bénévoles à l'unité des soins palliatifs de l'Hôpital Notre-Dame de Montréal, unité subventionnée par une fondation privée et où les bénévoles sont très bien encadrés. Il y a même une liste d'attente pour pouvoir effectuer du bénévolat à cet endroit, contrairement aux autres hôpitaux. En attendant de faire partie de l'équipe de l'Hôpital Notre-Dame, je me suis donc dirigée vers un établissement pour personnes âgées où j'ai reçu la formation appropriée, avant de commencer l'accompagnement.

Les besoins étaient criants à cet établissement, dû au manque d'accompagnateurs. J'étais bouleversée de constater que pendant que je me trouvais au chevet d'une personne, cinq autres mouraient seules dans leur chambre. Lorsque j'ai reçu l'appel de l'Hôpital Notre-Dame et que j'ai décidé de changer d'établissement, je me suis sentie coupable, car on avait tellement besoin de moi là où je me trouvais. Mais en même temps, j'étais consciente qu'à ce rythme-là, je me serais rapidement épuisée et n'aurais pas pu poursuivre l'accompagnement très longtemps.

J'ai reçu une nouvelle formation à l'Hôpital Notre-Dame. Cette fois, je devais faire face à la maladie de personnes de tous âges. Au début, je ressentais de l'injustice devant la mort d'un être jeune, mais lorsque j'ai finalement accepté mon impuissance, je me suis retrouvée simplement dans l'accueil et c'est à partir de ce moment que je suis devenue vraiment aidante. Il est parfois tentant de dire à une personne en phase terminale, dans le but de l'encourager : «Je comprends ce que tu vis... ne t'en fais pas... ça va aller mieux», alors que celle-ci sait très bien que l'on ne peut pas comprendre parce qu'on n'est pas à sa place, et que ça n'ira pas mieux puisqu'elle va mourir. Ces paroles isolent les mourants, au lieu de les réconforter.

J'ai beaucoup cheminé à travers cette expérience. J'ai appris à écouter des confidences parfois très lourdes d'émotions, en laissant parler le silence. L'écoute en silence encourage la personne à aller encore plus loin, à verbaliser sa peur, sa colère ou sa peine, sachant qu'elle est accueillie sans jugement.

J'ai pu constater qu'à l'approche de la mort, il n'y a pas que le travail du corps qui compte, celui de l'âme est encore plus important. L'être humain est ainsi fait qu'il attend souvent d'être placé au pied du mur pour comprendre ce qu'il vit au niveau de l'âme, pour intégrer en lui les connaissances théoriques emmagasinées dans sa tête, et qui n'ont pas été assimilées. En accompagnant des personnes mourantes, j'ai été témoin de *révélations*, c'est-à-dire que j'ai vu des gens parvenir, avant leur départ, à intégrer des connaissances et à s'ouvrir intérieurement aux vraies valeurs de la vie. C'est comme si un voile tombait subitement, leur donnant accès à un immense réservoir de compréhension et d'amour.

Assister à de tels miracles a totalement changé ma vision de la vie. J'ai réalisé que la mort fait partie d'un cycle et qu'elle est présente dans notre vie dès le moment de notre naissance. J'ai aussi pris conscience de l'importance de vivre le détachement au quotidien, de résoudre tous les petits deuils qui surgissent à chaque instant, car ceux-ci ne sont là que pour nous préparer à notre mort qui viendra inévitablement, un jour.

Mon métier m'a aussi amenée à développer des aptitudes qui me servent dans l'accompagnement. En tant qu'artiste, il m'est arrivé de vivre de grands moments d'euphorie, d'expérimenter l'état ultime de création, cette sorte d'état second où la conscience est en expansion. C'est ce que j'appelle vivre *l'ici et maintenant*. Cet état de *présence totale* est essentiel dans l'accompagnement et touche toute la dimension spirituelle de la personne. C'est aussi ce que je m'efforce d'intégrer dans ma vie, cette capacité de vivre l'ici et maintenant, qui constitue le vrai bonheur à mes yeux.

Accompagner des gens mourants ne m'a pas donné de certitudes sur la mort, mais cela m'a fourni une clé importante qui me permet de comprendre la vie, de mieux vivre ma vie.

Tout au long de cette expérience, il est devenu très clair pour moi qu'il n'y a qu'une seule chose que l'on peut apporter dans l'au-delà et qui fait que l'on part les mains pleines. Il s'agit de l'amour, celui qu'on a donné et celui qu'on a reçu dans notre vie. Tout le reste, toutes les richesses, tous les biens matériels qu'on a accumulés n'ont plus aucune importance. Qu'on soit riche ou pauvre ne compte absolument pas au moment du passage. Ainsi, face à la mort, nous nous retrouvons tous égaux puisque nous ne pouvons apporter que l'amour... et rien d'autre !

Linda Roy

LE DEUIL DE MON ENFANT

J'avais deux fils âgés de cinq et sept ans lorsque j'appris que j'étais à nouveau enceinte. Cette nouvelle me combla de joie, car j'avais toujours désiré un troisième enfant. L'avenir me semblait alors des plus merveilleux.

Mais quelques mois plus tard, un événement dramatique fit soudainement basculer ma vie. Mon fils aîné, Sébastien, se plaignit de problèmes de vision. Des examens médicaux révélèrent la présence d'une tumeur maligne dans son cerveau. Celle-ci ne pouvait être enlevée par chirurgie et le seul traitement envisageable était la chimiothérapie combinée à la radiologie. Ces traitements lui furent donnés dans un hôpital situé à huit heures de route de notre domicile de Bathurst, dans le nord du Nouveau-Brunswick. Nous fîmes donc le trajet aller-retour entre la maison et l'hôpital de Halifax pendant un an, mon mari et moi, espérant ainsi sauver notre fils. Mais neuf mois après avoir donné la vie une troisième fois, je dus porter en terre mon premier-né.

La vie m'apparaissait maintenant comme un non-sens. Mon cœur était en lambeaux, mais je faisais taire mon chagrin. Au moment où celui-ci cherchait à s'exprimer à travers les cris de révolte et les larmes, le bébé se réveillait, réclamant toute mon attention. Je me disais alors que le bon Dieu avait bien fait les choses en me donnant cet enfant qui m'obligeait à me ressaisir. J'ignorais tout du processus de deuil, croyant naïvement que je ne devais pas pleurer et que ma peine finirait pas s'estomper d'elle-même.

Les années passèrent. Je vécus une séparation conjugale et la vie continua. Je tentais de m'évader dans les tâches quotidiennes, avec les enfants à m'occuper, la maison, le travail et les activités extérieures, mais je me rendais compte que mon chagrin était toujours présent à l'intérieur de moi. J'avais constamment la larme à l'œil, je devenais négative et je perdais de plus en plus le goût de vivre. Lors d'un examen médical annuel, j'éclatai en sanglots dans le bureau du médecin. Celui-ci me suggéra alors fortement de consulter un psychologue pour m'aider à verbaliser les émotions que je refoulais depuis trop longtemps.

J'occupais un emploi au gouvernement et je savais qu'une aide psychologique était offerte aux employés en cas de besoin. Je demandai un rendez-vous avec la psychologue. On m'informa que celle-ci était absente et que je verrais sa remplaçante. Afin de respecter la confidentialité, les consultations se donnaient à l'extérieur du bureau, dans un hôtel de la ville.

Le jour du rendez-vous, je me rendis donc à la chambre d'hôtel. Dès la première minute, je me sentis en confiance face à l'attitude bienveillante de cette femme qui, après m'avoir écoutée pendant quelques instants me dit simplement : «Tu t'occupes très bien des autres, mais tu dois aussi t'occuper de toi, car personne ne peut le faire à ta place.»

Elle m'ouvrit alors spontanément les bras et je m'y blottis pour pleurer. Je pleurai ainsi sans arrêt pendant trois heures, et ce torrent de larmes libératrices emporta avec lui tout le chagrin refoulé depuis la mort de mon fils. Je ne devais jamais revoir cette femme par la suite puisque son remplacement se terminait ce jour-là et qu'elle quittait la région. Je suis persuadée aujourd'hui qu'il s'agissait d'un ange placé sur ma route pour m'aider à résoudre mon deuil, à éliminer la peine accumulée dans mon cœur et qui me rongeait de l'intérieur.

Après cette rencontre, j'ai commencé à voir la vie autrement. Je me sentais de plus en plus vivante et je voulais en connaître davantage sur la vie et la mort. Je me suis donc mise à lire des livres sur la pensée positive et la spiritualité, m'ouvrant peu à peu à la dimension de l'au-delà.

Peu après le décès de Sébastien, une personne de mon entourage m'avait appris qu'elle pouvait communiquer avec l'âme des défunts et elle m'avait proposé de contacter Sébastien. La mort était tabou pour moi à ce moment-là et j'avais refusé avec indignation, lui disant : «Les morts sont morts et on les laisse tranquilles!»

Quelques années plus tard, un ami me parla d'une dame de Moncton qui tirait aux cartes, lisait dans les lignes de la main et... communiquait avec les défunts. Mes lectures m'avaient permis d'apprivoiser la mort, mais je demeurais sceptique face à ce genre de contact. J'ai tout de même pris rendez-vous avec la dame pour une lecture de cartes. Au début de la séance, elle m'avisa qu'un petit garçon désirait me parler. «Il insiste, me dit-elle, mais si tu refuses, il va respecter ton choix et repartir.»

Je finis par donner mon accord. Cette dame s'exprimait uniquement en anglais. Elle ne me connaissait pas et ne savait rien du drame que j'avais vécu. Elle demanda au petit garçon de s'identifier et sembla éprouver de la difficulté à comprendre le nom qu'il lui donnait. Elle le répéta avec un fort accent anglophone : « *Se... bas...tienne!* »

En entendant prononcer le nom de mon fils, mon cœur vibra et je pleurai de joie. Je ne doutais plus de sa présence, car mon cœur le reconnaissait. Sébastien voulait me dire de ne pas m'inquiéter pour lui, qu'il n'avait plus mal à la tête et qu'il allait bien. Il ajouta : «*Je voudrais que tu saches que ma mort ne fut pas un accident. Elle avait été planifiée bien avant notre venue sur terre à tous les deux. Ton âme voulait vivre l'expérience de l'amour à travers la perte d'un être cher et la mienne a accepté d'y jouer un rôle afin de t'aider à évoluer spirituellement.*»

Il me décrivit ensuite la beauté des lieux où il se trouvait et me rappela tout l'amour qu'il avait pour moi. Nous avons ainsi parlé pendant trente minutes, par l'intermédiaire de cette voyante, échangeant sur le sens de la vie et le but de l'incarnation sur la terre. J'ai compris ce jour-là qu'il n'y a pas de bonnes ou mauvaises expériences, et que toutes les situations se présentent à nous dans un but d'évolution.

Je sais maintenant que Sébastien est toujours à mes côtés et qu'il me soutient lorsque j'en ai besoin. Il lui arrive même de se manifester à moi, concrètement. Un jour, alors que j'étais allongée sur mon lit, je méditais en réfléchissant sur la vie après la mort et les doutes m'assaillirent. Les paupières mi-closes, je tournai alors mon regard de côté et vis mon fils aîné près de moi, tel qu'il était à l'âge de deux ans, me regardant avec amour. Le cœur battant de joie, je l'observai pendant quelques instants à la dérobée, m'imprégnant en profondeur de toute la douceur de cet instant magique.

C'est alors que j'ouvris les yeux et fus éblouie par une magnifique lumière d'une blancheur immaculée qui dégageait beaucoup d'amour. Je savais que c'était l'énergie de Sébastien, qu'il était là pour me réconforter et m'apporter des réponses. Sa présence me confirmait encore une fois que je ne devais pas douter de la réalité de l'au-delà.

Un autre jour, je revenais à la maison après avoir soupé avec des amies que je n'avais pas revues depuis des années. Je conduisais ma voiture, ressentant le bonheur au plus profond de moi-même. Dans un élan du cœur, je remerciai le bon Dieu pour tout ce que j'avais sur cette terre : deux beaux enfants, un travail que j'aimais, des amies et, surtout, la santé pour pouvoir jouir de tout cela. Je vis tout à coup une étoile filante traverser la route devant moi, sous mon regard ébahi. Très émue, je me mis à pleurer et à rire en même temps. Je savais que Dieu m'avait entendue et que c'était sa façon à lui de répondre «Bienvenue!» à mes remerciements.

Le cheminement que j'ai fait à la suite de la mort de mon enfant m'a amenée à devenir sensible à toutes les beautés de la vie et à voir du positif derrière chaque événement qui se présente. J'essaie aussi d'être à l'écoute des gens autour de moi qui éprouvent du chagrin et de leur apporter du réconfort.

Je vois maintenant la vie sur terre comme une pièce de théâtre où chaque participant a un rôle précis à jouer. Chaque rencontre qui se produit entre deux êtres, aussi brève qu'elle puisse être, n'est jamais le fruit du hasard. La mort de mon fils bien-aimé ne fut pas un hasard, ni un accident, ni une punition de la Vie. Je comprends aujourd'hui que Sébastien m'a quittée parce qu'il avait terminé le rôle qu'il avait à jouer auprès de moi, tel que nous l'avions convenu avant de vivre cette aventure terrestre.

Mon petit garçon m'a offert un cadeau inestimable : son départ m'a amenée vers l'ouverture spirituelle, vers la découverte de l'amour logé au fond de mon cœur, de la parcelle divine en moi, et je lui en serai éternellement reconnaissante.

Angèle Lagacé

DIRE ADIEU

*U*n samedi de février 1994, je reçus un appel téléphonique de mon père m'apprenant que, souffrant d'un malaise, ma mère était entrée à l'hôpital dans la nuit. Je quittai mon domicile pour me rendre directement à l'Hôpital Saint-Sacrement de Québec. À l'arrivée, j'appris que ma mère reposait dans un état critique, des suites d'une embolie cérébrale.

Les minutes et les heures me semblaient figées dans un temps que j'aurais souhaité faire rebondir ailleurs. La douleur se mêlait à une rage que j'avais peine à contenir. Le médecin se montra d'une franchise bouleversante. Ses premières observations lui indiquaient que, le cerveau ayant manqué d'oxygène, les conséquences s'avéraient très graves. Si elle reprenait conscience, ma mère ne pourrait plus fonctionner normalement et ses chances de réadaptation seraient très minces. Il ajouta que, somme toute, il serait préférable pour elle, qu'elle nous quitte pour un monde meilleur! Lécoute d'un tel pronostic me donna froid dans le dos. Le silence qui suivit, lourd comme un ciel gris d'automne, remua en moi colère et tristesse.

Je demeurai seul auprès de ma mère pendant un moment. La chambre me parut tout à coup petite. J'étais là, dans cet espace sombre, entouré d'un vide pesant, ne sachant trop que faire, tentant de maîtriser la rage qui montait en moi. J'éprouvais un fort sentiment d'injustice, me disant que Dieu, s'Il existait, s'était trompé d'adresse... Il n'avait pas le droit d'appeler auprès de lui une personne aussi attachante. Ma mère ne méritait pas d'être enfermée dans un corps qui ne répondait plus. Son rire devenu muet ne pouvait pas s'arrêter ici.

Ma respiration se calma, allégeant peu à peu le poids de ma colère. J'observais ma mère en silence et ne voyais qu'un vide immense. Je la sentais emprisonnée dans un corps endommagé et décidai de lui prendre simplement la main, dans un geste de solidarité. J'avais la certitude qu'elle ne m'aurait pas laissé seul, qu'elle ne m'aurait jamais laissé tomber et je compris que c'était maintenant à moi d'agir, de reprendre le flambeau.

Les mots se bousculaient sur mes lèvres tandis que, d'une voix hésitante, je lui précisai l'endroit où nous étions, ce qui s'était passé, sa *promenade* en ambulance. Je lui nommai les amis, les enfants qui étaient accourus à son chevet. Je poursuivis avec le diagnostic du médecin et le *carrefour* où elle se trouvait maintenant. J'éprouvais une drôle de sensation, car j'ignorais si elle comprenait ce que je lui disais. Dans pareille circonstance, je posais une action, sans chercher à expliquer ou à comprendre.

Je remarquai qu'elle bougeait ses doigts. Elle frottait l'index de sa main droite avec l'ongle de son pouce, dans un mouvement répétitif de va-et-vient. Ce geste nerveux et constant devenait, dans l'immédiat, son seul contact avec l'extérieur. J'ignorais si c'était sa façon de me dire «je suis là» ou si ce mouvement constituait un appel à l'aide m'implorant de ne pas l'abandonner. Lui tenant toujours la main, je l'imaginai près du *corridor de lumière*, entourée, accueillie par les gens qu'elle aimait. Je vis sa sœur Françoise lui tendre la main, et je devinai que sa mère et son père étaient là, eux aussi.

Je connaissais sa force, sa vitalité, sa joie de vivre et je savais tout le courage que cela lui demandait de décider si elle devait rester... ou partir. Car, curieusement, je ressentais son questionnement, dans la tiédeur de cette chambre, pesant les conséquences de l'un comme de l'autre. Je lui confiai alors que, quelle que soit sa décision, je ne lui en voudrais pas.

Le lendemain, ma mère choisit la route des anges. Les jours, les semaines qui suivirent s'écoulèrent dans une sorte de torpeur, devenant un simple trait à rayer de l'agenda. Les journées défilaient machinalement, telles des voitures qui passent sans klaxonner. La vie était devenue grise.

Avril déployait maintenant ses bourgeons printaniers, mais cette explosion de vie suscitait très peu d'enthousiasme en moi. Je cherchais dans l'oubli, une bouée, un réconfort. Plusieurs mois étaient passés, mais je ne pouvais toujours pas penser à ma mère sans que le chagrin me serre la gorge. Un jour, au cours d'une marche solitaire, je pensai au livre de Scott Peck, *Le chemin le moins fréquenté*, dont la lecture m'avait laissé songeur, à l'époque. Si le sens de la vie, comme l'affirmait cet auteur, était de se préparer à mourir – à bien mourir – à partir libre, je me disais que c'était là ce que ma mère avait accompli. Elle était, à mes yeux, libre! Cette pensée ajoutait maintenant de la couleur dans mes mots, du souffle dans ma course. Je la voyais libre, heureuse d'avoir bien vécu. J'en avais désormais la certitude.

À partir de ce moment, je travaillai sur mon désir de modifier ma perception et le regard douloureux que je conservais de ce départ. Je souhaitais changer du noir au blanc! Il me fallait agir, cheminer à travers un processus d'acceptation afin de me libérer de cette vision triste et nostalgique. Je m'interrogeais: «Quoi? Comment? Que faire?» Je demeurais réceptif en attendant la réponse, sans toutefois la chercher.

Peu à peu, des souvenirs significatifs me revinrent à l'esprit. Je me rappelai les moments heureux passés en sa compagnie. Je reprenais des images, telles des scènes empruntées à un film, le film de ma vie, de la nôtre. Je la voyais maintenant souriante, aimable, enjouée, maternelle et je l'entendais rire à certaines expressions, de son rire franc et honnête, aimant la vie simple et sans tracas. Dans tout ce désordre d'idées qui se bousculaient, je remis peu à peu les scènes en place. Je me voyais, tantôt jeune enfant, tantôt en train d'échanger sur des sujets de jeune adulte, tantôt là, moi. De toutes ces scènes se dégageait un fil conducteur, une signature. Ma mère portait en elle le sens profond du don inconditionnel de soi.

La musique se proposa à moi comme moyen de guérison, comme outil pour aller au-delà des mots. Un verbe du «silence» prit doucement forme par le détour de rythmes et de sons. Le silence de «l'avant-musique» menait le vide que je ressentais vers des sonorités chaudes et sensibles. J'utilisai un ensemble à cordes pour reproduire ces sons, auquel j'ajoutai un dispositif électronique qui me servait à manipuler les sons joués par les musiciens.

J'eus l'idée d'ajouter, à mon geste de compositeur, une action directe en manipulant moi-même les outils de transformation sonore. Je me disais que mon rôle de musicien serait une belle occasion pour moi de rendre palpable un curieux dialogue avec l'invisible. Je ne voulais pas d'air triste et nostalgique, mais d'une musique qui transmette à l'auditeur mes secrets, mon intimité.

Je décidai de renchérir la notion de départ en y ajoutant une dimension théâtrale. Je demandai à certains musiciens de quitter discrètement la scène à un moment précis pendant l'interprétation, sans prévenir, afin de donner une image de départ. Je terminais la pièce en duo avec un musicien jouant l'alto. Le jeu musical du dispositif électronique était devenu, à ce moment-là, clairement identifiable, affichant la transformation, le changement dans son essence propre et de ce que nous pouvions y percevoir en tant qu'auditeur. J'avais choisi comme résonance, à la toute fin, une citation d'une chanson de folklore *La chanson de la fileuse*. Après la note finale, on entendait un curieux accord qui résonnait ici et là. Plus personne ne jouait, mais la musique était là, le souvenir encore présent, l'image du départ... une présence que l'on ne pouvait voir, mais qui était tout de même palpable.

Cette pièce fut créée à Trois-Rivières. Elle fut interprétée une première fois par l'Orchestre de chambre de Trois-Rivières et reprise à plusieurs occasions, ainsi qu'avec d'autres ensembles.

Aujourd'hui, je retiens de cette action libératrice le symbole du retour à soi, de l'acceptation. Aux mots de Scott Peck, j'ajouterais que si la vie porte à bien mourir... de tous les instants, de tous les petits gestes, bien mourir est, par ricochet, bien vivre en ne laissant rien derrière soi, sans plus. Cette philosophie de vie lourde de conséquences est un travail du quotidien qui, dans sa simplicité, cache un effort soutenu et sans relâche.

J'ai appris, à travers cette expérience, que l'essentiel de la vie est lié au moment présent. La vie devient ainsi détachée, libre. J'ai compris aussi que «dire adieu» signifie «dire à Dieu», s'en remettre à Dieu, à cet état divin en nous, pour que chacun de nos gestes soit guidé vers un détachement qui nous portera à mieux vivre pour ainsi mourir «libre».

C'est souvent dans le silence que nous trouvons les outils menant au réconfort. La musique m'a servi de guide pour résoudre mon deuil, mais planter un arbre avec la même intensité aurait pu être tout aussi salutaire. Je suis conscient qu'il n'existe pas qu'une seule manière de faire, mais des centaines, voire des milliers, pour les quelques milliards d'individus qui cohabitent sur terre. Chacun trouve sa propre recette, mais, curieusement, devant cette multiplicité, nous nous retrouvons tous dans la résonance de l'action devenant en quelque sorte commune, c'est à dire «comme une», allant bien au-delà des étoiles.

Il ne se passe pas une journée sans que mes pensées s'envolent vers ma mère, mais la nostalgie des premiers mois suivant son départ a fait place à un immense bassin d'amour, de tendresse et d'affection, dans lequel je baigne maintenant, paisiblement.

Denis Dion

LA DERNIÈRE RANDONNÉE
DE MON FILS

Charles-Étienne avait neuf mois lorsque j'ai remarqué que son petit corps était couvert de bleus. Intriguée par ce phénomène qui se produisait sans raison apparente de plus en plus fréquemment, j'ai consulté le médecin. J'ai alors appris, avec consternation, que mon enfant était hémophile. On m'expliqua que son sang coagulait lentement, ce qui provoquerait parfois des hémorragies et nécessiterait de nombreuses transfusions sanguines, tout au long de sa vie.

J'ai prié Dieu de protéger mon petit garçon, ne comprenant pas pourquoi un tel fardeau lui était imposé, alors que son frère et sa sœur en avaient été épargnés. Au cours de son enfance, il fut hospitalisé à plusieurs reprises. J'ai souvent craint de le perdre, mais il remontait chaque fois la pente avec courage et bonne humeur.

À douze ans, il subit des tests sanguins en vue d'une chirurgie des amygdales, à la suite desquels le médecin m'informa d'un nouveau diagnostic qui me parut plus redoutable que l'hémophilie : mon enfant était séropositif. Il avait été contaminé par le virus du sida lors des transfusions sanguines. Le choc fut dur à encaisser. Voulant protéger mon fils et mes proches, je décidai tout d'abord de garder ce lourd secret pour moi toute seule. Désespérée, je continuais de prier, même si je doutais d'être entendue.

Ce n'est que deux ans plus tard que je trouvai la force de parler à Charles-Étienne de sa maladie. Il n'avait que quatorze ans, mais il fit preuve de beaucoup de maturité. Réalisant que sa vie serait de courte durée, il décida d'en profiter au maximum. Malgré un état de fatigue chronique causé par l'hépatite C qui provenait aussi du sang contaminé qu'il avait reçu, il continua de pratiquer les sports qu'il aimait, comme le ski de fond et le vélo, et exécuta même des sauts en parachute. Grand amateur de plein air, il fit aussi de nombreuses randonnées en forêt, se ressourçant au contact de la nature.

Mais la maladie continuait ses ravages. Plusieurs épisodes critiques le conduisirent aux frontières de la mort. Mon cœur de mère subissait chaque fois un grand déchirement et je priais très fort pour sa guérison. Il revenait à la vie et nous pouvions à nouveau passer de bons moments tous les deux en allant au restaurant, au cinéma, ou encore en voyage, comme celui que nous avons fait aux Îles-de-la-Madeleine, où nous avons pu admirer côte à côte, avec beaucoup d'émerveillement, de fabuleux couchers de soleil sur la mer.

Charles-Étienne lisait énormément et écrivait des textes très profonds, en plus de se confier à son journal intime. Il écrivit un jour un touchant texte où il comparait son corps à une barque que les épreuves de la vie avaient malmenée. Il savait sûrement que la fin approchait lorsqu'il rédigea ces lignes :

Les jours de ma pauvre barque sont comptés. Plus les heures s'écoulent, plus elle se dirige vers le royaume des poissons et des étoiles de mer, vers les montagnes marines noyées sous des mètres cubes d'eau froide et où la lumière du jour perd ses rayons chauds et orangés...

Témoin des projets de son frère et sa sœur avec leur conjoint respectif, il réfléchissait à son propre avenir, prenant conscience qu'il n'aurait pas de femme à aimer, ni d'enfant à regarder grandir, que ce bonheur lui serait refusé. Mais il acceptait sa condition sans révolte, comme le prouve cette autre partie de son texte :

> *De plus, si la vie avait été plus longue, j'aurais pu en profiter jusqu'à mes vieux jours* (de ma barque) *et la léguer à mes enfants comme l'on fait ceux des deux générations qui m'ont précédé. Eux aussi auraient connu le bonheur qui nous a rattachés, mes ancêtres et moi, à cette pauvre barque usée qui semblait résister à toutes les époques. J'aurais souhaité de tout cœur qu'ils connaissent, comme moi, la paix qui s'installe dans l'âme, lorsqu'on navigue vers des lieux qui riment si merveilleusement avec nulle part...*

Au cours de l'été 2001, fatigué de souffrir, il m'a demandé de ne pas le retenir, me suppliant de le laisser partir dignement lorsque le moment serait venu. Il m'a alors raconté avoir vu la lumière, lors d'un coma survenu quelques années auparavant, et s'être senti merveilleusement bien. Depuis cet événement, il ne craignait plus la mort. Il s'y préparait même avec un grand détachement. C'est ainsi qu'il a rédigé son testament personnel, choisissant avec soin les souvenirs intimes qu'il souhaitait léguer à ses proches et à ses amis. Il n'était pas amer et n'eut jamais l'idée de blâmer qui que ce soit pour sa maladie. Au contraire, il se plaisait à dire avec beaucoup de sagesse : « Ma vie sera écourtée, mais je n'aurai aucun regret, car j'en aurai profité davantage que bien des gens en parfaite santé. »

Un matin d'automne, je le retrouvai dans son lit, inconscient. Où ai-je pu trouver la force de lui murmurer à l'oreille qu'il pouvait partir en paix, tel qu'il me l'avait demandé ? Sans doute dans les prières, que je n'ai jamais cessé d'adresser à Dieu pendant toutes ces années. Je le suppliais d'aider mon enfant, mais Il connaissait le grand courage de ce dernier, et savait pertinemment que c'était moi, sa mère, qui avait le plus besoin d'aide. Je comprends maintenant que mes prières ne furent pas inutiles, puisque je fus soutenue tout au long de l'épreuve.

Le départ de Charles-Étienne laissa un grand vide dans le cœur de tous les membres de sa famille et de ses amis. Pour ma part, je me console en pensant qu'il est décédé rapidement comme il le souhaitait, même s'il n'avait que vingt-six ans.

Respectant son désir, nous lui avons mis aux pieds, dans son cercueil, ses vieux souliers de marche. Il avait écrit un poème, version personnelle de *Moi, mes souliers*, de Félix Leclerc, qui fut lu lors des funérailles et qui fit rire les gens malgré la tristesse du moment, démontrant qu'il avait conservé son sens de l'humour jusqu'à la fin. Je suis persuadée que, tel qu'il l'a si bien dit dans son poème, il s'est présenté fièrement devant saint Pierre, à la porte du paradis, et lui a montré ses semelles usées afin de lui prouver qu'il avait fait une longue randonnée... dans ce que Dieu avait créé.

Je continue de prier pour trouver la force de reconstruire ma vie, comme me l'a sagement conseillé mon cher fils avant de partir dignement, le 19 octobre 2001, entouré de tous ceux qui l'aimaient. La mort de mon enfant m'a semblé très cruelle sur le moment, mais je comprends maintenant qu'il avait complété sa randonnée terrestre et qu'il était prêt à entreprendre un nouveau parcours, céleste cette fois, et sans aucun doute rempli d'expériences merveilleuses.

Monique Cardinal Dorion

JE NE CRAINS PLUS LA MORT

À l'adolescence, je souffrais d'allergies, de névralgies et de fortes migraines. Mes parents m'amenaient consulter différents spécialistes, mais personne n'arrivait à cerner la cause du problème et mes migraines revenaient périodiquement chaque année. Au début de la vingtaine, on me proposa un jour une injection de vitamine B, pensant que cela m'aiderait. Mes parents n'approuvaient pas ce traitement, mais pour ma part, lasse de souffrir, j'étais prête à tout essayer dans l'espoir de guérir.

Un infirmier vint me donner l'injection au cabinet de mon père, qui était dentiste et qui supervisait le tout. J'étais debout, et papa se tenait près de moi, pendant que l'infirmier m'injectait le liquide dans la fesse. Je suis subitement tombée dans les bras de mon père, inconsciente. Il s'est alors produit un phénomène étrange. Nous habitions une maison de deux étages et le cabinet de mon père était situé au rez-de-chaussée. Tout en ayant conscience d'être dans les bras de papa, je voyais très bien maman dans la chambre à l'étage, ainsi que mon frère qui se trouvait dans la salle de bain. Mais plus étrange encore, je voyais aussi mes autres frères et sœurs dans leur environnement de vie, alors que certains habitaient sur d'autres continents. On aurait dit que j'étais partout à la fois, que je pouvais me déplacer à la vitesse de mes pensées. Cela me paraissait formidable.

Puis j'ai vu ma vie se dérouler devant moi, au moment présent. Je voyais non seulement les gestes que j'avais posés, mais j'avais aussi conscience des pensées que j'avais eues et des sentiments que j'avais éprouvés. Je me trouvais dans une sorte de tunnel noir, tandis que les scènes de ma vie se succédaient. Certaines me causaient beaucoup d'émoi et de tristesse. Je me jugeais sévèrement, me disant que j'aurais dû penser et agir autrement dans telle situation, que j'aurais dû faire preuve de plus de tolérance, démontrer plus d'amour dans telle autre situation, etc. Je souffrais énormément, car il n'y a pas pire juge que soi-même.

Je me souviens alors être sortie du tunnel, pour devenir un magnifique papillon. Une amie papillon m'attendait et ce fut de belles retrouvailles. J'avais l'impression de revoir un être qui m'était très proche. Je me sentais infiniment heureuse, baignant dans une atmosphère de pur amour. Je vivais un bonheur inimaginable, suivant ce guide qui me conduisit vers une magnifique demeure remplie de lumière.

La luminosité de l'endroit se reflétait sur ma compagne et moi. Ma conscience était en expansion, rendant ma connaissance illimitée. Tout me semblait désormais clair. Je me rappelais tous les livres que j'avais lus et je comprenais maintenant l'enseignement qu'ils recelaient.

Alors que j'avançais dans cette lumière très pure, dans un état de béatitude et de contentement, la voix puissante de mon père me ramena vers l'arrière. Je me retournai en même temps que mon amie papillon, pour me voir dans les bras de mon père qui m'appelait d'une voix forte. C'est alors que j'ouvris les yeux, et regardai avec surprise ces gens autour de moi que j'avais du mal à reconnaître, tellement le choc était considérable. Je me sentais immensément triste d'avoir quitté aussi brusquement le monde de lumière dans lequel j'étais si bien. Je savais que je venais de vivre quelque chose que je ne maîtrisais pas.

Il m'a fallu beaucoup de temps pour accepter mon retour sur la terre. Je vivais de la colère et de la déception d'être revenue malgré mon désir profond de demeurer là-bas. J'avais toujours été très proche de mes parents, mais cette expérience m'éloignait d'eux. Mes parents n'étaient pas prêts à entendre parler de ce genre de chose et me conseillaient plutôt d'oublier ce rêve bizarre que j'avais fait et qui continuait de me hanter. Tout le monde pensait que je divaguais lorsque je racontais mon étrange vécu. Je cherchais simplement à savoir ce qui m'était arrivé et me sentais incomprise, réalisant que personne autour de moi ne pouvait m'aider. J'étais devenue une étrangère au sein des miens et je savais que ceux-ci en souffraient autant que moi. Je ne me sentais à ma place nulle part, me demandant sans cesse ce que je faisais sur terre, alors qu'il y avait tant de beauté *ailleurs*.

Un changement important s'était produit en moi depuis ce fameux jour. Mes sens étaient aiguisés. Je percevais à l'avance ce qui allait arriver à ma famille. Je portais un regard différent sur le monde, comme si mon chemin de vie avait pris une autre direction, dans une autre dimension. Je n'avais plus le même enthousiasme et tout me paraissait fade, illusoire et faux.

Un jour, j'entrai dans une librairie et eus l'idée de placer ma main sur un livre «au hasard», me disant que je trouverais des réponses à l'intérieur de celui-ci. Lorsque je pris le volume dans mes mains, je pleurai d'émotion, convaincue intérieurement que j'avais fait le bon choix. Je me suis effectivement *retrouvée*, en lisant ce livre qui parlait de gens ayant vécu la même expérience que moi. Je n'étais plus seule. Je me sentais solidaire de ces individus qui, tout comme moi, savaient que le monde de l'invisible n'est pas une invention de l'imaginaire, mais qu'il existe réellement.

À partir de ce moment, je me suis mise à lire avidement toute la littérature que je trouvais traitant de spiritualité, de la métaphysique, de la vie après la mort, etc. Cela me fortifiait et m'apaisait grandement. J'incitais mes parents à lire mes livres et je les voyais se transformer eux aussi. Graduellement, ils en sont venus à accepter cette dimension de l'invisible qui leur avait semblé tellement menaçante de prime abord, parce qu'inconnue. Deux semaines avant son décès, mon père m'a demandé de lui raconter à nouveau ce que j'avais vécu dans l'au-delà. Le récit de mon expérience a contribué à le rassurer et à lui procurer une plus grande sérénité face à la mort.

Mon cheminement spirituel m'a aussi amenée à voir au-delà de l'apparence. Je ne regarde plus les gens de la même façon, m'efforçant de voir ce qu'ils sont à l'intérieur d'eux, en dépit des apparences. Je suis devenue plus tolérante, plus patiente, plus aimante.

Mais le plus grand bienfait que m'a laissé cette expérience inoubliable est la prise de conscience de l'importance de la pensée créatrice. Nos pensées créent notre vie, car toutes nos actions sont soutenues par celles-ci. Tout ce qui nous arrive prend naissance dans nos pensées, qui sont en grande partie inconscientes. Je me dis maintenant que nous n'avons pas le droit de penser n'importe quoi. En ayant la maîtrise de nos pensées, nous pouvons transformer totalement notre existence et nous créer une vie en accord avec ce que nous désirons réellement vivre.

L'immense bonheur que j'ai éprouvé au moment de cette expérience a laissé des séquelles et je puise maintenant mon petit bonheur quotidien à même cette source de grand bonheur qu'il m'a été donné de connaître. L'amour, le partage, la disponibilité et l'entretien des pensées sont devenus le moteur de ma vie. Je suis aussi plus attentive à vivre pleinement le moment présent.

Je ne crains plus la mort et me réfère à cette phrase d'un de mes auteurs préférés, Élisabeth Kübler-Ross : *Quand tu te retrouveras face à la mort, seul comptera l'amour que tu auras donné et reçu ; et tout le reste, les réussites, les luttes, les combats, disparaîtra de ton esprit ; que tu aies beaucoup aimé, voilà ce qui comptera. Et la joie de cet amour t'accompagnera jusqu'à la fin.*

Paule S. Bonhomme

PRENDRE LA VIE DU BON CÔTÉ

Quarante-huit heures après avoir vécu le bonheur d'être mère pour la deuxième fois, je regardais les vêtements de bébé étalés sur le lit d'hôpital, anticipant la joie que j'aurais à vêtir ma petite fille afin de la ramener à la maison. Comme on tardait à me l'amener, j'eus tout à coup le pressentiment que quelque chose n'allait pas et je me rendis rapidement à la pouponnière. La panique s'empara de moi lorsque je constatai que mon bébé ne se trouvait pas parmi les autres poupons. L'infirmière m'avisa alors que je ne pouvais pas emmener ma fille, car elle devait être examinée auparavant par un cardiologue.

Gilles, mon mari, travaillait ce jour-là et je revins à la maison accompagnée d'une amie. J'étais en larmes et j'éprouvais le besoin de serrer très fort dans mes bras mon fils de six ans, pour combler le vide immense que je ressentais. Gilles fut aussi bouleversé que moi lorsqu'il apprit que j'étais revenue de l'hôpital sans la petite. Le soir même, le médecin nous appela pour nous dire que notre fille avait un problème cardiaque, mais que nous ne devions pas nous inquiéter outre mesure et que nous pouvions venir la chercher.

C'était un *bébé bleu*. J'étais jeune, inexpérimentée et très peu informée au sujet de la maladie de ma petite fille. La première fois que je la vis bleuir en la prenant dans mes bras, je crus qu'elle était en train de mourir. Tremblant de peur, j'allai

247

chercher de l'eau à la cuisine et la baptisai sur-le-champ, me disant qu'ainsi, elle irait directement au Ciel.

Un mois plus tard, un cathétérisme cardiaque révéla que son canal artériel, qui aurait normalement dû se refermer deux semaines après la naissance, était demeuré ouvert. C'est ce qui lui avait permis de vivre, car son artère pulmonaire, mince comme un fil, empêchait le sang d'aller irriguer ses poumons. On l'opéra une première fois à seize mois pour tenter de lui installer une prothèse en téflon et fermer ensuite le canal artériel, mais le risque s'avéra trop grand et on dut se contenter de dilater l'artère pulmonaire, afin de faciliter sa respiration. Son état de santé demeura très fragile et nécessita de nombreux soins tout au long de son enfance. Les visites à l'hôpital se multipliaient, tandis que nous constations avec beaucoup de tristesse, Gilles et moi, que l'état de notre petite Marlène se détériorait au fil des ans.

À huit ans, elle fut opérée de nouveau pour installer la fameuse prothèse en téflon et fermer le canal artériel. Cela amena une amélioration de sa condition cardio-pulmonaire qui fut cependant de courte durée, car il y eut bientôt un rejet et nous nous retrouvâmes à la case départ.

Pendant des années, toute mon attention fut tournée vers Marlène, parfois même au détriment de Claude, son frère aîné, et de Martine, sa sœur cadette. J'étais sa mère, mais aussi sa confidente, sa complice et sa meilleure amie et j'aurais tout donné pour alléger ses souffrances. Je vivais au jour le jour, la soutenant du mieux que je le pouvais et m'efforçant de ne pas penser à l'avenir.

Une transplantation cœur-poumon fut envisagée pour Marlène, alors qu'elle avait seize ans. Malheureusement, les examens révélèrent que son foie était trop détérioré pour pouvoir supporter la greffe. Lorsqu'elle apprit le diagnostic en février 1988, Marlène comprit qu'il lui restait peu de temps à vivre. À peine sortie du bureau du médecin, elle me demanda de lui expliquer avec franchise de quelle façon elle allait mourir. Je la savais suffisamment mature pour connaître la vérité et discutai ouvertement avec elle de ce qui l'attendait dans les prochains mois. Ce fut un échange profond et très intense avec ma fille, qui paraissait petite et fragile de l'extérieur, alors qu'elle était tellement grande et solide à l'intérieur.

J'avais entendu parler de l'organisme *Rêve d'enfant* et je désirais que Marlène puisse réaliser un dernier rêve avant de nous quitter. Je ne m'attendais pas du tout à sa réponse lorsque je lui demandai quel était son plus grand désir. Elle souhaitait être autonome et vivre seule en appartement, comme beaucoup de jeunes de son âge. Je compris à quel point ma présence constante et ma sollicitude pouvaient parfois devenir étouffantes pour elle, mais je ne pus me résoudre à la laisser vivre seule dans l'état où elle se trouvait. Son second rêve, plus réaliste à mes yeux, était de rencontrer son idole, Céline Dion.

À l'époque, Céline préparait la tournée québécoise de son album *Incognito*. Elle venait tout juste d'avoir vingt ans et son avenir s'annonçait très prometteur. Cette demande, de la part d'une jeune fille à peine plus jeune qu'elle et dont les jours étaient comptés, la toucha énormément. Elle accepta d'y répondre avec la générosité qui la caractérise si bien.

Marlène et moi avons pris l'avion pour nous rendre à Montréal où une chambre nous attendait à l'hôtel Delta. Céline et René vinrent ensuite nous chercher en limousine pour nous amener à Saint-Jean-sur-Richelieu où Céline donnait un spectacle le soir même. Leur accueil fut des plus chaleureux. Ils eurent tous deux les larmes aux yeux en entendant Marlène parler avec autant d'authenticité de sa vie et, surtout, de sa mort imminente. «Je n'ai pas peur de mourir, leur expliqua-t-elle, mais j'ai de la peine à l'idée de quitter ma famille et tous ceux que j'aime.»

Regardant l'heure à sa montre, elle mentionna que son père venait tout juste d'arriver à la maison. René eut alors la délicatesse de lui proposer de l'appeler sur son cellulaire pour qu'il puisse partager ce moment avec nous. «Papa, lui dit-elle tout excitée, tu ne peux pas t'imaginer où je suis en ce moment. Je roule en limousine en compagnie de Céline Dion et René Angélil!» Je vis le bonheur dans les yeux de ma fille et cela me fit le plus grand bien.

Assister à la performance de son idole sur scène fut un moment extraordinaire pour Marlène, malgré le fait que son ventre était gonflé comme un ballon ce soir-là, dû à une trop grande accumulation d'ascite. Sa respiration devint aussi excessivement difficile, au point où elle craignit de mourir avant la fin du spectacle. Céline, qui est dotée d'une grande sensibilité, s'en rendit compte de la scène, et regarda à plusieurs reprises de notre côté pour s'assurer que tout allait bien. C'est avec beaucoup de tendresse dans la voix qu'elle lui dédia la chanson *Tellement j'ai d'amour pour toi*, mélodie qui me rappellera toujours ma fille adorée.

Après le spectacle, nous fûmes admises dans la loge de la star. Marlène s'amusa à enfiler les vêtements de Céline tandis que je les prenais en photo, toutes les deux. Une belle complicité s'exprimait à travers leurs regards et leurs sourires. On aurait dit deux petites sœurs. Nous allâmes ensuite manger dans un grand restaurant de la ville, Céline, René, Marlène et moi. Chacun commanda un plat différent et nous nous retrouvâmes, comme une véritable famille, en train de piger dans l'assiette les uns des autres pour goûter à tous ces mets délicieux. Je n'en revenais pas de découvrir tant de simplicité et de chaleur humaine chez des gens connus comme Céline et René.

«Tu sais Céline, lui dit Marlène avant de la quitter, je vais te revoir bientôt, car mon infirmière, Élisabeth, a acheté une paire de billets pour ton prochain spectacle à Québec et elle va m'amener avec elle.»

– Et tes parents? demanda alors Céline.

– Oh! Ils n'ont pas pu avoir de billets, c'était complet.

Entendant cela, René nous offrit des billets au premier rang, pour toute la famille, ainsi que pour Élisabeth. À Québec, Céline se montra encore une fois très généreuse de son temps. Elle nous reçut dans sa loge, la famille au grand complet, et s'intéressa à chacun. Elle proposa gentiment à Marlène de reprendre les photos qui avaient été manquées à Saint-Jean-sur-Richelieu. Cette grande artiste, dotée d'une belle ouverture de cœur, fut un rayon d'amour et de soleil dans la vie de notre fille et nous lui serons toujours reconnaissants, Gilles et moi.

Dans les mois qui suivirent, la santé de Marlène déclina de plus en plus. J'avais énormément de peine et je désirais demeurer auprès d'elle en permanence. Mais elle avait la sagesse de me pousser à aller vers les autres, prétextant que je devais apprendre à vivre sans elle. Lorsqu'elle me demanda de la laisser seule pendant quelques jours parce qu'elle désirait faire le point sur sa vie, je compris qu'elle était devenue adulte et que je devais la laisser prendre son envol.

Ce ne fut pas toujours facile de côtoyer la maladie au cours de toutes ces années. Je confiais à mon journal quotidien la plus grande partie de mes frustrations, de ma colère et de mon désespoir. Écrire mes émotions au jour le jour m'aidait à me libérer et à voir plus clair en moi. Je partageais aussi mes sentiments avec mon mari. La maladie de notre fille aurait pu nous éloigner l'un de l'autre, alors que nos liens s'étaient, au contraire, resserrés. Nous aurions souhaité une existence normale pour notre enfant, mais la vie en avait décidé autrement. Nous trouvions la force de l'accepter, nous inspirant de l'exemple que nous donnait Marlène : son courage, sa ténacité, son humilité et, surtout, sa grande simplicité qui lui faisait apprécier le moindre petit plaisir. Nous avions aussi le soutien de notre famille et de nos amis, de même que celui du personnel hospitalier qui était devenu comme une seconde famille, au fil des ans.

Marlène, quant à elle, évacuait ses émotions à travers le dessin et la peinture. Ses tableaux devenaient de plus en plus lumineux à mesure que la fin approchait, démontrant une belle âme en évolution. À une période particulièrement difficile de sa vie, elle avait spontanément écrit un poème et le jour de ses funérailles, je ressentis que je devais le partager avec l'assistance. Suivant mon intuition, je n'hésitai pas à me rendre à l'avant de l'église. D'une voix ferme, sans aucun trémolo, je transmis aux gens le message de ma fille :

J'ai un oiseau bleu
Qui me caresse tous les matins.
Quand il me voit en chagrin
Il me console et ça va mieux.

Mais un matin d'été,
Mon oiseau en a eu assez
Il m'a dit : Prends la vie du bon côté !
Alors, j'ai cessé de chagriner.

Et lorsque j'ai eu compris,
Mon oiseau bleu est parti.
Alors, je me suis dit :
Il me reste la vie !

Je connaissais le texte par cœur, mais en le lisant ainsi à voix haute devant l'assistance recueillie, je pris conscience, pour la toute première fois, de la belle leçon de vie qu'il renfermait. Je l'ai alors appliquée à moi en pensant : «Je peux me dire que Marlène est décédée en emportant une partie de moi et, ainsi, m'apitoyer sur mon sort et me laisser sombrer dans le chagrin. Mais je peux aussi me dire que Gilles, Claude et Martine sont toujours là, que leur amour et leur présence me soutiennent et que ma vie continue...»

Ce jour-là, j'ai compris que, même si nous n'avons pas le choix de nos expériences, nous avons toujours le choix de nos réactions face à celles-ci. J'ai alors décidé de suivre le conseil que ma petite fille m'avait laissé avant de me quitter pour poursuivre son évolution, magnifiquement vêtue de sa robe de lumière, et de m'appliquer à *prendre la vie du bon côté*, quoi qu'il arrive.

Georgette Chabot

UNE SCEPTIQUE CONFONDUE

À l'époque, je travaillais six jours et demi sur sept, douze à quinze heures par jour. Je ne m'accordais qu'un petit répit, le dimanche après-midi. La détente était une perte de temps pour moi et il va sans dire que j'ignorais totalement ce que signifiait «prendre des vacances». Je travaillais sans arrêt, refusant de me voir et, surtout, de faire face à ma solitude.

J'avais appris dès le bas âge à ne pas poser de questions, entendant les adultes autour de moi me dire : «Tu es trop jeune pour comprendre ça... Tu comprendras ça lorsque tu seras grande... Ne parle pas de ça», etc. J'avais donc pris l'habitude de me taire, d'ignorer ce qui se trouvait à l'intérieur de moi et j'étais devenue, à mon insu, une morte-vivante. Si quelqu'un m'avait parlé à ce moment-là de la vie après la mort, ou d'expériences extra-corporelles, je lui aurais ri au nez et l'aurais traité de fou. Pour moi, il ne pouvait y avoir que le néant, que le noir total après la mort. J'étais convaincue que l'individu s'éteignait en même temps que son corps, et personne n'aurait pu me faire changer d'avis là-dessus, quoi qu'on ait pu me dire.

Un jour, je prenais un repas en compagnie de deux bonnes amies. Nous avions acheté un vin au dépanneur du coin. Je suis allergique à différentes substances et j'ai toujours sur moi une seringue contenant de l'épinéphrine, substance qui permet de contrer l'effet des allergènes. Mais à ce jour, j'ignorais que je pouvais réagir aux sulfites et le vin en contenait. Dès que j'ai commencé à boire, je me suis sentie mal et j'ai dit à mes amies que j'allais me reposer. Je me suis rendue à la salle de bain pour vomir. J'ai senti ma gorge enfler, ma langue est devenue très épaisse et c'est à ce moment que j'ai compris que je faisais une réaction allergique. J'ai essayé d'appeler à l'aide, mais aucun son n'est sorti de ma bouche, malgré d'immenses efforts. Je n'arrivais plus à respirer et, avant de perdre conscience, je me suis dit : «Ça y est, ma fille, cette fois tu vas mourir !» Inutile de dire que j'avais terriblement peur.

Mes amies commençaient à trouver que je mettais du temps à revenir et elles se sont levées pour aller voir ce que je faisais. Elles m'ont trouvée inconsciente près de la toilette et ont vite compris qu'il s'agissait d'un choc anaphylactique. La fébrilité du moment, l'état d'urgence de la situation, l'alcool ingurgité auparavant, tous ces facteurs ont contribué à créer un climat de panique très intense. Après avoir retiré la seringue de ma poche et s'être obstinées pour savoir qui donnerait l'injection, voilà qu'une des deux empoigne la seringue à l'envers et paf !... elle s'injecte la substance dans le pouce.

À travers leur désarroi, mes copines eurent tout de même la présence d'esprit d'appeler le 911. Tandis que l'une d'elles écoutait les directives de l'infirmière au bout de la ligne, l'autre suivait ses instructions et pratiquait la respiration bouche-à-bouche, en attendant l'ambulance. Au moment où l'on me sortait de la maison sur une civière, je me retrouvai soudainement à l'extérieur de mon corps. Je vis qu'on installait mon corps dans l'ambulance tandis que mes amies prenaient place dans une voiture derrière, afin de me suivre jusqu'à l'hôpital.

Tout au long du trajet, je me suis promenée de l'ambulance à la voiture, voyant tout ce qui s'y passait et entendant tout ce qui s'y disait. Je me sentais légère, plus reposée que je ne l'avais jamais été dans ma vie, et très paisible. Je flottais librement dans l'espace et la sensation était tellement merveilleuse que je souhaitais demeurer dans cet état en permanence. Voyant que l'ambulancier tentait de réanimer mon corps, je m'efforçais de lui faire comprendre de cesser les manœuvres et de me laisser en paix, là où je me trouvais.

J'entendais l'ambulancier crier avec angoisse : «On l'a perdue..., on l'a perdue...» et j'avais l'impression qu'il ne se remettrait jamais de la mort de sa patiente. Je ressentais aussi la peine de mes amies. Celle qui avait tenté de me donner l'injection vivait de la culpabilité et ne cessait de hurler : «Je l'ai tuée..., je l'ai tuée...» Toute cette détresse me touchait profondément et c'est sans doute la raison pour laquelle je suis revenue dans mon corps. J'ai éprouvé la désagréable sensation d'être projetée du haut d'un plafond et d'atterrir lourdement sur un plancher de béton. Cela m'a fait très mal.

J'ai ouvert les yeux, pour entendre l'ambulancier me dire avec soulagement : «La dernière personne qu'on a eue dans cet état, on l'a perdue... et je pensais vous avoir perdue vous aussi.» J'étais très déprimée, frustrée même, car j'aurais aimé rester dans cette autre dimension où je me sentais si bien et ne comprenais pas pourquoi j'étais revenue.

Cette expérience m'a cependant réveillée, et une fois ma déprime surmontée, j'ai compris que j'étais responsable de ma vie et de ce que j'en faisais. Je n'ai plus peur de mourir, au contraire. Je suis désormais consciente du choix que je fais de demeurer sur terre. J'ai ralenti mon rythme de vie et je prends davantage soin de moi, m'accordant des fins de semaine de congé et même des vacances de temps à autre.

Le cadeau que cette expérience m'a procuré est que je suis devenue plus intuitive, plus proche des gens et capable de percevoir leurs émotions et leurs blocages sans qu'ils aient besoin de parler, ce qui me rend plus efficace dans mon travail de comédienne, d'enseignante et de metteure en scène.

Et, surtout, je ne peux plus démontrer du scepticisme et faire l'autruche en prétendant que la vie s'arrête au moment de la mort, maintenant que j'ai eu la preuve du contraire.

Danielle Fichaud

TIMOTHÉE-GABRIEL

*L*e décès de ma mère, survenu en 1991 alors que j'avais vingt-six ans, me laissa complètement anéanti. Je ressentais un vide immense et me demandais comment je survivrais à une si grande perte. Prisonnier d'un tourbillon d'émotions que je n'arrivais pas à gérer, j'étais en même temps confronté à la vulnérabilité de la vie, à ma propre mort qui surviendrait inévitablement un jour.

Six ans plus tard, on me proposa, dans le cadre de l'émission *Reporter* à TVA animée par Réal Giguère, de vivre l'accompagnement auprès d'un homme atteint de cancer en phase terminale et qui souhaitait mourir à domicile. Je me suis tout de suite senti interpellé par cette expérience, même si j'avais une certaine crainte, au départ, que mes émotions prennent le pas sur ma perception.

Le tournage s'effectua en août 1997 et donna lieu à des moments de vérité très intenses. Ma relation avec Roch se poursuivit en dehors du cadre du reportage. Je lui rendis visite à plusieurs reprises au cours des mois qui suivirent, jusqu'à ce fameux soir de février 1998 où, par pudeur, je restai planté devant la porte de sa chambre d'hôpital. Voyant à quel point il souffrait, je pensai devoir le laisser seul avec ses proches et fis demi-tour pour rentrer chez moi, sans me douter que je venais de perdre la dernière occasion de lui parler. Roch décéda ce soir-là, ce même soir où l'on diffusait, à la télévision, le reportage que nous avions tourné ensemble six mois plus tôt.

À la suite de cette première expérience d'accompagnement volontaire, la mort continua d'exercer une grande fascination sur moi. Et voilà qu'à l'automne 2001, pendant que je m'entraînais dans un gymnase du centre-ville, une dame à l'emploi de l'Hôpital Sainte-Justine s'approcha de moi pour me proposer d'accompagner une jeune fille malade.

Isabelle avait dix-neuf ans et elle savait très bien qu'elle allait mourir. Ses propos révélaient beaucoup de maturité pour une femme aussi jeune. Le courant est passé entre nous dès la première rencontre. Un questionnement surgissait à l'intérieur de moi : « Pourquoi elle et pas moi ? » Pourquoi était-elle malade, alors que moi, j'étais en santé ? Je n'avais pas de réponse à cela.

Isabelle est décédée le 31 décembre 2001. Je ne l'ai pas accompagnée jusqu'à la fin, mais elle m'a laissé un très beau cadeau, car le fait de la côtoyer a produit une forme d'éveil en moi. Je me suis intéressé aux livres traitant de spiritualité, entre autres, *Le livre tibétain de la vie et de la mort* de Sogyal Rinpoche, et j'ai commencé à méditer.

Le désir d'accompagner quelqu'un jusqu'à la fin me hantait de plus en plus. Je souhaitais pouvoir vivre une telle expérience pour intégrer les notions théoriques que j'apprenais dans les livres.

Cette année-là, j'assistais à une fête de Noël pour les enfants malades organisée par Leucan, et je m'ouvris à une intervenante de mon désir d'accompagner une personne en phase terminale. Une telle démarche nécessite une certaine préparation psychologique. On me proposa donc de suivre une formation qui s'échelonna sur quelques mois. Ma formation complétée, on me jumela à François, un jeune atteint de leucémie qui avait failli mourir à deux reprises. Au début, je lui rendais visite une à trois fois par semaine et, au fil des mois, j'assistai à un véritable miracle. François est aujourd'hui un bel athlète de dix-huit ans qui jouit d'une excellente santé et qui profite allègrement de la vie. Nous sommes restés en contact et nous nous voyons de temps à autre pour des sorties entre co-pains.

Mon désir d'accompagner une personne jusqu'à la toute fin demeura donc en suspens. À l'époque du décès de ma mère, la peur freinait mes sentiments et me rendait maladroit dans mes gestes et mes paroles. Il faut dire que j'étais jeune, inexpé-rimenté en ce qui concerne la mort, et complètement paniqué à l'idée de perdre un être cher. Mais j'étais maintenant plus ma-ture, je commençais à apprivoiser la mort et je voulais savoir comment je me sentirais face à elle. Je me demandais jusqu'où je pouvais aller au niveau de mes émotions dans l'investisse-ment de moi-même, l'abandon et le détachement.

À l'automne 2002, une amie de l'époque du cégep, Hélène, me téléphona pour me demander un grand service. Elle m'ap-prit qu'un jeune membre de sa famille, Timothée-Gabriel, était atteint de cancer et qu'il allait mourir. Elle avait l'impression que nous ferions un match parfait lui et moi, et me demandait si j'accepterais de lui rendre visite. Je n'en revenais pas qu'elle ait pensé à moi. Je n'avais pas vu cette amie depuis dix-huit ans et elle n'était donc pas au courant de mon cheminement et de mon grand désir d'accompagnement. J'acquiesçai à sa de-mande avec plaisir, mais lui demandai de vérifier d'abord au-près du jeune et de sa famille s'ils désiraient vraiment que je m'immisce dans leur vie.

Une semaine plus tard, je reçus un nouveau coup de fil, cette fois d'un membre du personnel de Leucan me proposant d'accompagner un jeune garçon de seize ans, Timothée-Gabriel, atteint d'un ostéosarcome, et pour lequel il n'y avait plus d'espoir de guérison. Cette dame ignorait tout de la de-mande faite par Hélène quelques jours auparavant, et pourtant, elle me formulait exactement la même. Wow! Je ne pouvais pas recevoir de signes plus clairs sur la direction à prendre. J'étais persuadé que nous avions beaucoup de belles choses à nous apporter mutuellement, Timothée et moi, et que cette ex-périence serait marquante pour l'un comme pour l'autre.

Lorsque je fus présenté à Timothée et à sa famille, ils venaient d'être mis au courant du triste pronostic. Le jeune garçon avait une tumeur de la grosseur d'un pamplemousse à l'épaule gauche. Tous les traitements avaient échoué et la médecine ne pouvait rien faire d'autre qu'atténuer ses souffrances par des médicaments et des soins de confort. On a même dû lui amputer le bras gauche pour freiner la progression de la maladie.

Notre attrait commun pour la musique nous a rapprochés dès le début et a facilité notre relation. Il est venu chez moi et nous avons composé une musique par ordinateur. Cette dernière a fait partie d'une démo que j'ai envoyée à des producteurs et des DJ. Elle a même été jouée à plusieurs reprises dans un bar très branché de Montréal, ce dont Timothée était fier : notre *toune* était populaire ! Lors de la Fête de Noël organisée par Leucan, Mc-Tim – comme il m'arrivait de l'appeler familièrement – fit entendre notre composition à la centaine de personnes présentes qui l'applaudirent très fort à la fin. Je n'oublierai jamais l'expression de fierté qui apparut sur le visage de mon ami ce soir-là. Il était visiblement ému et heureux.

Timothée savait qu'il allait mourir et ne s'en plaignait pas, mais il démontrait une urgence de vivre qui m'impressionnait, et je décidai de m'investir au maximum afin de lui procurer des expériences exceptionnelles. Des gens m'apprirent qu'ils souhaitaient organiser une soirée-bénéfice dont les profits iraient à un individu plutôt qu'à un organisme. Je leur parlai de Timothée-Gabriel. La soirée eut lieu et les profits servirent à lui offrir un abonnement à la télévision par satellite. La maladie l'obligeant à passer de longues heures au repos, la télévision constituait alors sa principale distraction.

Je l'ai aussi amené à la Première du film de James Bond à Montréal, *Meurs un autre jour*. Plusieurs personnalités du monde sportif et du milieu artistique assistaient à la représentation. Tim était heureux comme un roi d'être parmi le Jet Set. Il rêvait aussi de faire une balade en Ferrari. Un de mes amis lui offrit une randonnée à bord de sa rutilante Ferrari. Un comité d'accueil l'attendait sur le Plateau Mont-Royal avec champagne et sushis. Pour un jeune homme de dix-sept ans, le fait de boire du champagne et manger des sushis à bord d'une Ferrari, en compagnie de sa famille et de ses amis, constitue une fabuleuse expérience.

J'éprouvais une réelle amitié pour Timothée. Il ne s'agissait pas de pitié, comme je le voyais parfois dans certains regards posés sur lui. Il était mon grand chum. J'adorais nos sorties en tête-à-tête. Par exemple, lorsque nous sautions dans ma Fiat décapotable pour aller chercher un cornet de crème glacée chez *Bilboquet*, ou que nous allions au cinéma, au resto, ou simplement nous promener pour le plaisir d'être ensemble. Nous avions des conversations très intimes et profondes lui et moi, ou bien nous déconnions comme deux adolescents attardés.

Depuis quelques mois, je travaillais dans un restaurant de Montréal une fois par semaine et les pourboires que je ramassais servaient uniquement aux causes qui me tenaient à cœur. Le bonheur de Timothée était l'une de celles-là. Chaque fois qu'une activité avec mon ami me coûtait de l'argent, je pigeais dans le pot des pourboires. Beaucoup de gens de la région de Montréal ont contribué, sans le savoir, à rendre mon ami heureux jusqu'à la fin de sa vie.

C'est ainsi que j'ai pu organiser une randonnée en hélicoptère pour Timothée. Un de mes amis, pilote d'hélicoptère et qui possédait sa propre école, a accepté de nous fournir un appareil à peu de frais pour l'amener dans les Cantons de l'Est, là où il avait passé une partie de son enfance. Sa famille et ses amis nous y attendaient, dont le réputé journaliste Pierre Foglia, du quotidien *La Presse*, qui a parlé ensuite de lui à trois reprises dans ses articles. Timothée a donc été connu du grand public grâce à la plume de Pierre Foglia.

Timothée-Gabriel était un être pur et simple, absolument merveilleux, alors il attirait inévitablement des personnes formidables autour de lui. Il m'a permis de connaître des gens d'une grande richesse de cœur, dont sa famille et ses amis, au contact desquels j'ai grandi en tant qu'être humain. Il a passé les derniers mois de sa vie au Pavillon Vidéotron de l'Hôpital Sainte-Justine. Le personnel a fait preuve d'une grande compassion et d'une belle ouverture de cœur et d'esprit. Un soir, par exemple, nous organisâmes une dégustation de vin et fromage dans la chambre d'hôpital. Une quinzaine de personnes, parmi la famille et les amis de Timothée, vinrent fêter joyeusement avec nous. Le personnel ferma gentiment les yeux devant cette entorse au règlement. Le lendemain matin, tout le monde pouvait sentir l'odeur d'alcool et de fromage qui flottait dans la chambre, mais les gens ne remarquèrent que le sourire épanoui du jeune garçon affaibli par la maladie.

Deux semaines plus tard, le 13 juillet 2003, Timothée-Gabriel nous quittait définitivement. J'aurais tellement voulu le guérir, alors que je me sentais impuissant face sa maladie. J'aurais aimé par-dessus tout avoir la certitude qu'il était prêt à partir. Je faisais le parallèle entre le départ de ma mère et celui de mon grand ami, et une chose me consolait : alors que j'avais été incapable de dire à ma mère, de son vivant, tout ce qu'elle m'avait apporté de positif, j'étais arrivé à le faire avec Timothée.

Au cours des derniers mois, chaque fois que j'avais une pensée de reconnaissance pour mon ami, un merci à lui adresser, je prenais le temps de l'écrire. Un jour, j'ai senti que le moment était propice pour lui dire, dans mes mots, tout ce que j'avais mis sur papier. Je ne peux dire à quel point je suis heureux de lui avoir confié tout ce qu'il m'a apporté de beau et de bon et de savoir qu'il a entendu mes remerciements dans ses oreilles, qu'il les a reçus dans son cœur, de son vivant. Je voulais qu'il sache que ses souffrances et sa mort n'étaient pas vaines, qu'il avait été utile à quelqu'un qui avait grandi à ses côtés et qui ne l'oublierait jamais. Voici ce message très intime adressé à mon ami Timothée, que je lui ai lu avec beaucoup d'émotion, une dernière fois, lors de ses funérailles.

Cher Timothée-Gabriel,

Je veux simplement te dire merci. Merci de m'aider dans ma vie.

Savais-tu que depuis que je te connais, je suis devenu une meilleure personne ? Je suis moins égoïste, plus sensible aux autres et à tous ces petits plaisirs ou activités de la vie courante qu'on prend trop souvent pour acquis. Par exemple : ta vie au quotidien, à la maison ou à l'hôpital, me fait réaliser à quel point je suis chanceux d'être capable de prendre une douche, d'aller à la banque, d'admirer la beauté de la nature, de déguster des chocolats (des Twix par exemple !), de me lever de mon lit, TOUT SEUL ?

Il m'arrive très souvent de penser à toi quand je suis au volant de ma Fiat décapotable, au gym en train de m'entraîner, à l'épicerie, au cinéma, quand je médite, quand je travaille au resto Prato, quand je suis avec des filles, ou quand je fais le party... et que je réalise à quel point je suis chanceux de pouvoir triper comme ça...

Merci Timothée d'allumer ma conscience. Tu me fais réaliser que mes petits soucis sont souvent, en réalité, « très petits ». D'être autonome et en santé, c'est une richesse qu'on prend tellement pour acquise.

Tu l'sais-tu que je me dis souvent : si « MC Tim » était à ma place, c'est certain qu'il en profiterait comme un fou ! Alors, dans ce temps-là, j'y vais encore plus à fond.

Tu provoques en moi une urgence de vivre. Tu ne sais pas à quel point je suis privilégié de te côtoyer. Grâce à toi, j'apprends à vivre... pendant que toi, tu te prépares à mourir. Toi qui es en train de souffrir, de perdre tout ce qu'il y a de plus précieux, tu m'aides à apprécier le précieux de ma vie. Ton combat face au cancer m'a ouvert le cœur encore plus.

Si mon témoignage peut donner un sens à ta souffrance, laisse-moi te dire que ma vie a elle aussi un sens différent depuis que je te connais. Ce sens, c'est celui de l'amour. Aimer. Aimer la vie, aimer les gens, s'aimer soi-même.

Être ce que tu es, c'est le plus beau cadeau que tu puisses m'offrir. L'urgence d'être heureux. Aujourd'hui, maintenant. Et heureux veut dire pour moi, aimer.

Tu l'sais-tu que je t'aime Timothée ?

Ton chum D-JM.

Jean-Marie Lapointe

POSTFACE

*G*illes Vigneault m'avait écrit dans une des premières pages d'un programme d'un de ses très bons spectacles : «*Nous sommes des miroirs où les gens cherchent des étrangers.*» Et à ses mots que je garde précieusement, je me permettrai d'y ajouter ici, bien humblement, que ce miroir est un lien essentiel et magnifique entre tous les êtres de la Terre !

Vous conviendrez tout comme moi qu'après la lecture de ces «expériences», l'on se sent tous et chacun de nous un peu plus proche des autres. Plus proche également d'une vibration, d'une réalité cosmique, celle-là même qui nous construit de l'intérieur. Quant à moi, ce qui me réjouit, c'est cette sensation d'appartenance à ce grand Tout dessiné par un plus Grand que nous.

Pourquoi se le cacher plus longtemps. Nous nous observons les uns les autres quotidiennement. Nous comparons nos moindres choix et gestes comme par besoin de ne «pas passer à côté», dans l'espoir de parvenir un jour à la réalisation harmonieuse de soi. Oui ! Les autres ont beaucoup à nous enseigner, et nous aux autres.

Dans ce partage d'expériences que l'Amitié des uns et des autres nous fait profiter, il y a plus d'une vérité. Il y a dans la conscience des autres tout ce qui nous ressemble et nous rassemble. Il y a le bonheur aussi de sentir que dans cet échange nous devenons plus présents à la vie. Quel privilège et quelle sensation extraordinaire que d'entrer dans l'univers des autres ! À chaque fois, je me sens grandi et transformé.

Merci Diane Fournier d'avoir eu à nouveau cette belle idée de créer un autre pont entre nous tous avec ce Volume 4.

Vivement le 5e !

Jean-Guy Moreau
Animateur et humoriste

PARTAGEZ VOS EXPÉRIENCES

*V*ous avez vécu, vous aussi, une expérience particulière qui vous a transformé et que vous aimeriez partager. Vous pouvez nous faire parvenir le récit de votre expérience racontée dans vos mots, sous forme écrite ou dictée. Vous pouvez aussi nous téléphoner pour en discuter, au numéro mentionné ci-dessous.

Les histoires seront étudiées attentivement et la vôtre pourra peut-être faire partie du prochain volume *Ces expériences qui nous transforment*. Si c'est le cas, nous soumettrons l'histoire corrigée à votre approbation et vous demanderons une autorisation écrite avant la publication du volume.

Les personnes dont l'expérience paraîtra dans le livre recevront en cadeau un exemplaire dédicacé de celui-ci, lors de sa parution. Contactez-nous pour une entrevue ou encore faites parvenir vos histoires lisiblement écrites, en incluant vos nom, adresse et numéro de téléphone, à l'adresse suivante :

Ces expériences qui nous transforment
Les Éditions le Dauphin Blanc
C.P. 55 Loretteville
Québec, Canada
G2B 3W6
Télécopieur : 418-845-1933
dauphin@mediom.qc.ca

Informations : **418-626-8800**
dianefournier@hotmail.com

BIBLIOGRAPHIE

BOURBEAU, Lise,

> *Écoute ton corps, ton plus grand ami sur terre*, Éditions E.T.C. Inc., 1987.
>
> *Qui es-tu?*, Éditions E.T.C. Inc., 1988.
>
> *Je suis Dieu, WOW!*, Éditions E.T.C. Inc., 1991.
>
> *Écoute ton corps, ENCORE*, Éditions E.T.C. Inc., 1994.
>
> *Ton corps te dit : « Aime-toi ! »*, Éditions E.T.C. Inc., 1997.
>
> *Les 5 blessures qui empêchent d'être soi-même*, Éditions E.T.C. Inc., 2000.
>
> *Le grand guide du mieux-être*, Éditions E.T.C. Inc., 2003.

DUFOUR, Michel,

> *Allégories pour guérir et grandir*, Éditions JCL, 1993.
>
> *Allégories II, croissance et harmonie*, Éditions JCL, 1997.
>
> *Allégo rit avec les jeunes*, Éditions JCL, 2000.

DUFOUR, Michel, BERNARD, Sophie, *Allégories, Intimité et Sexualité*, Éditions JCL, 2002.

DUFOUR, Michel, Neykov, Catherine, *Le prince et la mendiante, conte allégorique*, Éditions Le Dauphin Blanc, 2003.

FAUTEUX, André, *La maison du 21ᵉ siècle, Le magazine de la maison saine*, publié quatre fois par année.

FILION, Sylvain-Claude, *Le dernier saut de l'ange, Les défis d'Yves La Roche*, Éditions Libre Expression, 2000.

FRAPPIER, Renée,

Le Guide de l'alimentation saine et naturelle, tome 1, Éditions Maxam, 1987.

Le Guide de l'alimentation saine, tome 2, Éditions Maxam, 1990.

Le Guide des Bons Gras, Éditions Maxam, 1995.

GAGNÉ, Robert L.,

Ce merveilleux pays en nous, Éditions Dimensions, 1993.

Éclairs d'entendement, Éditions Dimensions, 1993.

La plénitude de soi, Éditions Dimensions, 1993.

La montagne de mon être, Éditions Dimensions, 1994.

C'est moi qui était là, Éditions Dimensions, 1994.

Mon pays, ma ville et moi, À St-Nicolas, ville de fleuve et de fleurs, Éditions Dimensions, 1994.

Une bouffée d'éternité, Éditions Dimensions, 1998.

En quête de la vérité... une odyssée spirituelle autour de la terre, Éditions Dimensions, 2001.

LAMARRE, Dolorès,

Le temps de lâcher prise, Éditions Le Rayon d'Or, 1998.

Passeport pour l'équilibre, Éditions Le Rayon d'Or, 2000.

Êtes-vous sauveur, victime ou bourreau? Éditions Le Dauphin Blanc, 2002.

LAPOINTE, Jean-Marie, *Mon voyage de pêche*, Éditions Stanké, 1999.

LÉTOURNEAU, Anne, *La Folie des Douceurs, De la boulimie à la spiritualité*, Éditions Publistar, 2002.

MORGAN, Michèle, *Pourquoi pas le bonheur*, Éditions Libre Expression, 1979.

Les clés du bonheur, Éditions Libre Expression, 1983.

Dialogue avec l'âme sœur, Éditions Libre Expression, 1996.

Petits Gestes et Grandes Joies, Éditions Libre Expression, 1997.

Le Mieux de la Peur, Éditions Libre Expression, 1998.

Le courage d'être heureux, Éditions Libre Expression, 1999.

NAZARE-AGA, Isabelle,

Les manipulateurs sont parmi nous, Éditions de l'Homme, 1997.

Les manipulateurs et l'amour, Éditions de l'Homme, 2000.

PEACOCK, Fletcher, *Arroser les fleurs, pas les mauvaises herbes*, Éditions de l'Homme, 1999.

PÉLOQUIN, Monica, POMMERVILLE, Louise, *Brin d'herbe de blé*, Éditions Amour de la vie, 2003.

SÉVIGNY, Yves,

Une lueur d'éternité, Éditions Le Dauphin Blanc, 2001.

Les cinq instincts, Éditions Le Dauphin Blanc, 2004.

VIGEANT, Yolande,

Espoir pour les mal-aimés, Éditions Édimag, 1990.

Prières pour mieux vivre, Éditions Quebecor, 1993.

Des ténèbres à la lumière, Éditions Quebecor, 1994.

Les onze lois du bonheur, Éditions Quebecor, 1995.

À chaque jour suffit sa joie, Éditions Quebecor, 1996.

Un homme ça ne pleure pas, Éditions TVA, 2000.

Encore de l'Espoir pour les mal-aimés, Éditions Édimag, 2002.